iPad

完全マニュアル

2024

iPad Perfect Manual 2024

standards

Section 04
トラブル解決総まとめ

ほとんどお手上げの人も もっとしっかり使い こなしたい人もどちらも きっちりフォローします

いつでもどこでもサッと取り出して即座に起動。大きい画面でネットやメール、SNSに動画再生、ノートに写真編集など、数え上げてもきりがないほど多彩な用途に活躍するiPad。直感的に使えるように作られているとは言え、増えていく一方の機能はなかなか把握できないし、マニュアルも付属していない。本書はiPadをはじめて手にした初心者でも最短でやりたいことができるよう、要点をキッチリ解説。iPadOSや標準アプリの操作をスピーディにマスターできる。また、さらに快適に使うための設定や、一歩進んだ操作法、隠れた便利機能もふんだんに紹介。この1冊でiPadを「使いこなす」ところまで到達できるはずだ。

iPadを使う上で必須となる最初の設定手順を完全解説!
iPadの初期設定を始めよう

iPadの電源を入れて設定を済ませよう

iPadを購入したら、早速トップボタン（本体上部のボタン）を押して画面を表示させよう。「こんにちは」と表示された場合は、まだiPadの初期設定が済んでいない状態だ。この場合、一連の設定を終えるまでiPadを使うことができない。一方で、ロック画面またはホーム画面が表示された場合は、購入したショップ側で最低限の初期設定がなされている状態だ。ただし、この状態でもWi-FiやApple IDなどの各種設定を自分で行う必要がある。そこで本記事では、iPadを初めて購入した人向けに、各種ケースにおける初期設定手順を詳しく紹介していきたい。

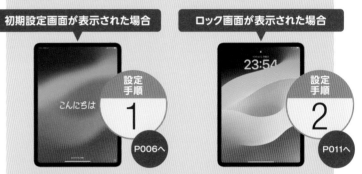

最初の起動画面によって手順が異なる

初期設定画面が表示された場合	ロック画面が表示された場合
設定手順 **1** P006へ	設定手順 **2** P011へ

iPadの電源を初めて入れた時、上記のどちらの画面が表示されるかで初期設定の手順が異なる。「こんにちは」画面が表示された場合はこのページから、ロック画面の場合はP011からの解説に従って、必要な設定を済ませておこう。

設定手順 1 初期設定画面で設定を行う

iPadの初期設定画面では、Wi-FiやFace（Touch）IDなどの重要項目をまとめて設定することができる。iPadの購入直後だけでなく、端末をリセットした場合やパソコンを使って復元作業を行った場合も、最初にこの画面が表示されるので覚えておこう。なお、「クイックスタート」機能を使えば、ほかのiPhoneやiPadからWi-FiやApple IDなどの設定を引き継げる。iPhoneやiPadをすでに持っている人は試してみよう。

端末をリセットするには?

> リセット
> すべてのコンテンツと設定を消去

iPadのデータをすべて消して初期設定からやり直したい場合は、「設定」→「一般」→「転送またはiPadをリセット」→「すべてのコンテンツと設定を消去」を実行しよう。

※本項で解説している設定手順は一例です。環境や状況によっては設定画面の順序が異なったり、ここでは解説していない設定画面が表示されることがあります。

利用する言語と外観を選択する

1 初期設定を開始する

> 「こんにちは」画面が表示されたら、Face ID搭載機種は画面を下から上にスワイプする。ホームボタン搭載機種はホームボタンを押して、初期設定開始

初期設定画面が表示されたら、画面を下から上にスワイプするかホームボタンを押そう。あとは画面の指示に従って、初期設定を進めていく。

2 使用する言語や国を設定する

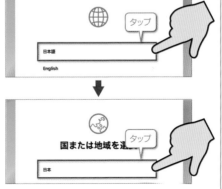

言語の選択画面で「日本語」をタップし、続けて国または地域の選択画面で「日本」をタップしよう。状況によってはこれらの設定が表示されないこともある。

3 テキストとアイコンの表示方法を選択する

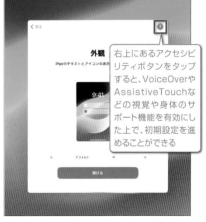

> 右上にあるアクセシビリティボタンをタップすると、VoiceOverやAssistiveTouchなどの視覚や身体のサポート機能を有効にした上で、初期設定を進めることができる

iPadのテキストやアイコンのサイズを小、デフォルト、中、大から選択して「続ける」をタップ。

文字入力やWi-Fiネットワークを設定する

1 クイックスタートは使わず 手動で設定する

クイックスタートの画面になるが、別のiPhoneやiPadを持っていないなら「もう一方のデバイスなしで設定」をタップ。クイックスタートを使う場合は下の囲み記事を参照。

2 文字入力や音声入力を 設定する

iPadで使用するキーボードや音声入力の種類を設定する。標準のままでよければ「続ける」をタップする。変更するなら「設定をカスタマイズ」をタップして設定しよう。

3 Wi-Fiネットワークを 設定する

付近のWi-Fiネットワーク名（SSID）が一覧表示されるので、接続するネットワークをタップしよう。続けて接続パスワードを入力したら、「接続」をタップする。

Face(Touch) IDとパスコードの設定

1 Face IDの 設定を行う

Face IDやTouch IDを登録しておけば、端末ロックの解除や各ストアの購入処理を、顔認証や指紋認証で行える。ここではFace IDを登録する。

2 自分の顔を 登録する

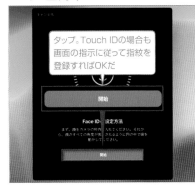

「開始」をタップし、画面の枠内に自分の顔を合わせたら、指示に従って顔をゆっくり動かして登録しよう。2回登録すれば設定完了。

3 パスコードを 設定する

6桁の数字を2回入力してパスコードを作成する。「パスコードオプション」をタップすれば、4桁の数字や英数字のコードに変更することも可能だ。

解説 端末の設定を引き継げる 「クイックスタート」機能 を使いたい場合は?

「クイックスタート」機能を使えば、Wi-Fi接続やApple ID、パスコードといった設定内容を、別のiPhoneやiPadから自動で引き継ぐことができる。複数のデバイスを所持しているユーザーは、従来より簡単に初期設定を行えるのだ。ただし、Face(Touch) IDなど一部の設定は、別途手動での設定が必要となる。なお、本機能はあくまで一部設定項目が引き継がれるだけであり、別の端末のコンテンツやデータを引き継ぐには別途バックアップデータが必要だ。

1 ほかのデバイスを 近づけて設定開始

クイックスタート画面のiPadに別のiPhoneやiPadを近づけたら、「続ける」をタップして作業を開始しよう。

2 iPadの模様を カメラで撮影して認証

iPad上に円形の青い模様がアニメーション表示されるので、引き継ぎ元のiPhoneやiPadで撮影する。

3 パスコードを入力して 残りの設定を行う

引き継ぎ元の端末のパスコードをiPad側で入力。あとは残りの設定を行えば初期設定が完了だ。

新しいiPadとして設定する

1 「何も転送しない」をタップする

初めてiPadを購入した場合は「何も転送しない」を選択する。バックアップデータを復元・移行したい場合は、ほかの項目を選択しよう。

各種バックアップから復元・移行する方法

iCloudやパソコンにiPadのバックアップデータがある場合は、ここで復元することができる。復元したいバックアップデータを選択し、画面に表示される指示に従おう。また、Android用の「iOSに移行」アプリを使って、Android端末から各種データを移行することも可能だ。

iCloudバックアップから復元

iCloudバックアップから復元する場合はWi-Fi接続が必須。Apple IDを入力して復元作業を行おう。

WindowsやMacから復元

パソコン内に保存してあるバックアップデータを復元するには、USB接続してiTunes（MacではFinder）で復元作業を行う。

Androidからデータを移行

Android用アプリ「iOSに移行」を使えば、Android端末の写真やメッセージなどをiPadへ移行することができる。

Apple IDの新規作成とサインイン

1 Apple IDの設定を開始する

次に、Apple IDの設定になる。Apple IDを持っていない人は「パスワードをお忘れかApple IDをお持ちでない場合」をタップして新規取得しよう。

2 Apple IDを新規作成する

Apple IDは、アプリや音楽をダウンロードしたり、iCloud などを利用するのに必須となる。「無料のApple IDを作成」で新規作成しておこう。

Apple IDを持っている場合は?

すでにApple IDを取得している場合は、手順1の画面でApple IDのメールアドレスとパスワードを入力し、「続ける」をタップしよう。ほかの端末と同じApple IDでサインインしておけば、以前購入したアプリやミュージックなどを、新しいiPad上でも引き継ぐことができる。

3 自分の誕生日と名前を入力する

Apple IDの新規作成では、まず自分の誕生日と名前を登録する。アカウントの本人確認時にも使われることがあるので、正確に入力しておこう。

4 Apple IDで利用するメールアドレスを設定

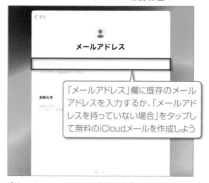

次に、Apple IDのアカウントとして利用するメールアドレスを設定する。メールアドレスを持っていない場合は、無料でiCloudメールを取得することが可能だ。

5 メールアドレスとパスワードを入力

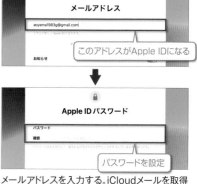

メールアドレスを入力する。iCloudメールを取得する場合は、「○○@icloud.com」のアカウント名部分を入力。あとはパスワードも入力しておく。

6 │ 電話番号を 設定する

本人確認のために、SMSまたは音声通話できる電話番号を入力する。スマートフォンか携帯電話がある場合は「SMS」にチェックを入れて、SMSでの認証にすると手軽だ。

7 │ SMS認証の場合は 確認コードを入力

SMSで届いた6桁の数字を入力する

SMS認証を選択した場合、入力した電話番号宛に確認コード（6桁の数字）がSMSで送信される。SMSを受信したらiPad側で確認コードを入力しよう。

8 │ 利用規約に 同意する

タップ

同意する

利用規約が表示されるので、確認して問題なければ「同意する」をタップしよう。これでApple IDの登録は完了だ。さらに残りの初期設定を進めていこう。

🔍 **解説** iPadや各種アプリを利用する上で必須となる「Apple ID」とは?

「Apple ID」は、Appleが提供するさまざまなサービスの利用に必須となる重要なアカウントだ。たとえば、App StoreやiTunes Storeでの購入およびダウンロード、FaceTimeでの通話、iCloudの各種サービスなどを利用するには、すべてApple IDが必要となる。また、Apple IDはユーザー1人につき1つ取得すればよく、iPhoneやiPad、Macを複数所持している場合は、ほかの端末と同じApple IDを利用することが可能だ。また、過去に購入したアプリや曲などは、購入時と同一のApple IDでサインインした端末上であれば、無料で入手できる仕様となっている。なお、Apple IDを初期設定画面ではなく、あとで設定したい場合は、「パスワードをお忘れかApple IDをお持ちでない場合」→「あとで"設定"でセットアップ」をタップすればいい。

● Apple IDが必要な主要サービス

App Store／iTunes Store
コンテンツのダウンロード、購入、自動アップデートで必須となる。

FaceTime／iMessage
FaceTimeやiMessageでのやりとりは、Apple IDによる認証が必須となる。

iCloud
iCloudで提供される同期サービスや紛失時の「探す」、各種バックアップなどにApple IDが必要だ。

パソコン版のiTunes
パソコンのiTunesでも、コンテンツの購入やバックアップなどを利用する上でApple IDが必要となる。

アップデートや位置情報、Apple Payの設定

1 │ 自動的にiPadを アップデートする

タップ

続ける

今後配信されるiPadOSのアップデートを自動的にインストールするか確認されるので、「続ける」をタップしておこう。

2 │ 位置情報サービスを オンにする

タップ

位置情報サービス

位置情報サービスは、マップなどのアプリで使われるほか、「探す」で紛失したiPadの位置を特定するのに必要な機能だ。「位置情報サービスをオンにする」をタップして有効にしておこう。

3 │ Apple Payで使うカード の登録をスキップ

「あとで"設定"でセットアップ」をタップして登録をスキップする

あとでセットアップ

Appleの決済サービス「Apple Pay」の設定になるが、ここでは設定をスキップする。実際に利用する時に「設定」→「ウォレットとApple Pay」で登録すればよい。

🔍 **解説** Wi-Fi + Cellularモデルでは 初期設定中にeSIMの設定も行える

Wi-Fi + Cellularモデルを使用しており、すでにeSIMでiモバイル通信プランを契約済みなら、「モバイル通信を設定」画面でeSIMの設定を行える。機種変更前のiPadでeSIMを利用しており、新しいiPadにeSIMを転送したいときは、「近くのiPadから転送」をタップして設定を進めよう。「QRコードをスキャン」をタップすると、通信事業者から提供されたQRコードを読み取ることで、このiPadにeSIMを設定することができる。「あとで"設定"でセットアップ」でスキップし、あとから「設定」→「モバイルデータ通信」で設定することも可能だ。

Siriやスクリーンタイムの設定と操作のヒント

1 | Siriの設定を済ませる

Siriの設定で「続ける」をタップするとSiriが有効になる。指示に従って自分の声を登録し、「Hey Siri」の呼びかけでSiriが起動するようにしよう。

2 | スクリーンタイムを有効にする

スクリーンタイムは、iPadの利用時間についての詳しいレポートを表示してくれる機能。「続ける」をタップして有効にしておこう。

3 | 外観モードを選択する

外観モードを、画面の明るい「ライト」か、黒を基調にした「ダーク」から選択し、「続ける」をタップ。あとから、夜間だけ自動的に「ダーク」に切り替わるよう設定することもできる（P050で解説）。

4 | すべての初期設定が終了

初期設定完了！

その他、操作のヒントなどを確認したら設定終了。「さあ、はじめよう！」をタップすれば、ホーム画面が表示される。

スキップした設定をあとで設定する

初期設定画面では、いくつかの設定をスキップすることができる。初期設定が終了した後で、これらの内容を設定したい場合は「設定」アプリから設定しよう。なお、重要な未設定項目が残っている場合は、「設定」アプリ上で通知が表示されるようになっている。「設定」アプリの「iPadの設定を完了する」をタップすれば、何が設定されていないのかがすぐにわかる。

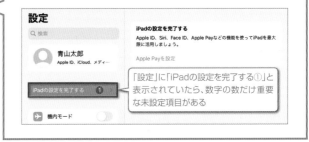

「設定」に「iPadの設定を完了する①」と表示されていたら、数字の数だけ重要な未設定項目がある

解説　初期設定後に最低限確認しておきたい設定項目

ここでは、初期設定が完了した後に、追加で設定しておきたい項目をピックアップしておいた。自分に必要そうな項目は「設定」から変更しておくといいだろう。

設定アプリ

❶ 最新のiPadOSにアップデートしておく

まずは「設定」→「一般」→「ソフトウェアアップデート」を確認しておこう。最新のiPadOSが存在する場合は、すぐにアップデートしておくのがオススメだ。旧バージョンで見つかった不具合などが修正される。

❷ Face（Touch）IDに関する詳細設定を行う

iTunesやApp Storeの購入時にFace IDやTouch IDを使いたい場合は、「設定」→「Face（Touch）IDとパスコード」の「iTunes StoreとApp Store」をオンにする。

❸ iCloudの各種機能で使わないものをオフにする

iCloudの機能で使わないものがあれば、「設定」→「アカウント名」→「iCloud」を表示してオフにしておこう。ただし、「iCloudバックアップ」はオンのままにしておくこと。iCloudの各種機能についてはP038を参照。

❹ 「iPhoneから通話」の設定を行っておく

iPadとiPhoneで同じApple IDを使うと、iPhoneの電話着信時にiPadでも着信音が鳴ってしまう。これを防ぐには、iPhone側で「設定」→「電話」→「ほかのデバイスでの通話」を開き、iPadの通話許可をオフにすればよい。

❺ FaceTime着信用の連絡先を設定する

iPhoneやiPad、Macを別途所持している場合は「設定」→「FaceTime」を表示し、「FACETIME着信用の連絡先情報」と「発信者番号」を設定しておこう。それぞれ別の連絡先を設定しておくことで、着信と発信を個別に行うことができる。

❻ iPadからもSMSやMMSを送信できるようにする

iPadのメッセージアプリはSMSやMMSに対応していないので、Androidスマートフォンとやり取りできない。しかしiPhoneがあれば、「SMS/MMS転送」機能をオンにすることで、iPhone経由でSMSやMMSの送受信が可能になる。詳しくはP062で解説する。

「設定」アプリで設定を行う

iPadを購入したショップで最低限の初期設定が済んでいる場合、初回起動時に初期設定画面が表示されない。ロック画面が表示され、そのままiPadが使えるはずだ。とはいえ、Wi-Fi接続設定やApple IDなどの細かい設定がまだ済んでいないので、「設定」アプリから各種設定を行っておこう。

設定は「設定」アプリから

iPadの設定は、すべて「設定」アプリで行う。ホーム画面にある「設定」をタップすれば、設定画面が表示される。

キーボード／Wi-Fi／位置情報サービス／Face(Touch) IDの設定

1 キーボードの設定

キーボードを追加する場合は、「新しいキーボードを追加」をタップ

キーボードを設定したい場合は、「一般」→「キーボード」→「キーボード」を表示する。ここから、キーボードの追加や削除が可能だ。

2 Wi-Fiの設定

接続したいWi-Fiのネットワーク名をタップし、接続パスワードを入力する

Wi-Fi に接続する場合は、「Wi-Fi」設定から接続したいネットワーク名をタップする。接続パスワードを入力して接続を完了させよう。

3 位置情報サービスの設定

タップ

位置情報の設定は「プライバシーとセキュリティ」→「位置情報サービス」から。アプリごとに位置情報を使うかどうかも切り替えできる。

4 Face(Touch) ID とパスコードの設定

顔や指紋は、複数登録して精度を上げることもできる

「Face(Touch) IDとパスコード」で、顔や指紋を登録して、ロック解除や各ストアでの購入に利用する設定を行える。パスコードも設定しておこう。

Apple IDとiCloudの設定

1 Apple IDでサインインする

Apple IDのアカウント情報を入力してiCloudにサインイン

Apple IDにサインインする場合は、左メニューの最上部にある「iPadにサインイン」をタップ。メールアドレスとパスワードでサインインしよう。

2 Apple IDの設定を開く

タップしてApple IDやiCloudの設定画面を表示

サインインを済ませると、左メニュー最上部のユーザー名をタップして、Apple IDやiCloud（P038で解説）の設定を確認できるようになる。

Apple Payの設定

1 Apple Payでカードを追加する

「ウォレットとApple Pay」→「カードを追加」をタップする

Apple Payにカードを登録したい場合は、「ウォレットとApple Pay」→「カードを追加」→「クレジットカードなど」をタップしていこう。

2 カードを撮影して登録する

タップしてカードをスキャン

「続ける」をタップし、カメラの枠内にクレジットカードを収めよう。その後、必要な認証作業を行えばApple Payでカードが使えるようになる。

解説　設定画面でApple IDを新規作成するには?

Apple IDをまだ所持していない人は、「設定」→「iPadにサインイン」→「Apple IDをお持ちでない場合」から新規作成しよう。

Apple IDを新規作成

解説　必要ならFaceTimeの設定もしておこう

iPhoneやiPad、Macを別途使っている人は、「設定」→「FaceTime」を表示し、「FACETIME着信用の連絡先情報」と「発信者番号」で、使いたい連絡先にチェックしておこう。

使いたい連絡先を有効に

iPadの初期設定

iPadの気になる疑問 Q&A

iPadを使いはじめる前に、必要なものは何か、ない場合はどうなるか、まずは気になる疑問を解消しておこう。

Q1 パソコンやiTunesは必須?

A なくても問題ないが一部操作に必要

バックアップや音楽CD取り込みに使う

パソコンがあれば、「iTunes」（Macでは標準の「Finder」）を使ってiPadを管理できるが、なくてもiPadは問題なく利用できる。ただし、音楽CDを取り込んでiPadに転送するには（P079で詳しく解説）、iTunes（Windows）やミュージックアプリ（Mac）が必要。また、容量不足でiCloudにバックアップを作成できないときにパソコンでバックアップを作成して復元できる（P111で解説）ほか、「リカバリーモード」でiPadを強制的に初期化する際にも、パソコンとの接続が必要だ。

> パソコンがあれば、iCloudバックアップが使えない場合でもバックアップの作成と復元ができるなど、トラブルに対処しやすい

Q2 クレジットカードは必須?

A なくてもApp Storeなどを利用できる

ギフトカードやキャリア決済でもOK

Apple IDで支払情報を「なし」に設定しておけば、クレジットカードを登録しなくても、App Storeなどから無料アプリをインストールできる。クレジットカードなしで有料アプリを購入したい場合は、コンビニなどでApple Gift Cardを購入し、App Storeアプリの「Today」画面などで右上のユーザーボタンをタップ。「ギフトカードまたはコードを使う」をタップしてApple Gift Cardのコードをカメラで読み取り、金額をチャージすればよい。クレジットカードを登録済みの場合でも、Apple Gift Cardの残高から優先して支払いが行われる。毎月の通信料と合算して支払う、キャリア決済も利用可能。

> Apple Gift Cardは、コンビニなどで購入できる。「バリアブル」カードで購入すると、1,000円から50万円の間で好きな金額を指定できる

Q3 iPadで格安SIMは使える?

A SIMロックを解除すれば使える

現在はSIMロック解除も不要で使える

ドコモやau、ソフトバンクで購入したセルラーモデルのiPadには、他社のSIMカードが使えないように「SIMロック」という制限がかけられていた。しかし2015年5月以降に発売された機種からは、「SIMロック解除」を行えば、iPadに格安SIMなどを挿入して利用できるようになっている。SIMロック解除はWeb上で行えば無料だが、店頭で解除すると手数料がかかるので注意しよう。なお、2021年10月1日以降に発売された機種からは、SIMロックの仕組み自体が原則廃止されたので、SIMロックを解除しなくてもそのまま格安SIMを利用できる。

> SIMロックの解除条件と手続きは、各キャリアのサポートページで確認しよう。なお、Apple Storeで購入したiPadには、SIMロックはかかっていない

Q4 Wi-Fiは必須?

A ほぼ必須と言ってよい

セルラーモデルのiPadでもWi-Fiを用意しよう

まず、iPadがWi-Fiモデルなら、ネット接続するためにWi-Fi環境は必須である。セルラーモデルならモバイルデータ通信が使え、特に最新の5G対応機種なら、iPadOSのアップデートもモバイル通信で行える。ただし、数GBのアップデートや動画配信などを利用すると、あっという間に通信量を消費してしまうので、きる限りWi-Fiは用意しておきたい。最新規格の「11ax」や「11ac」に対応したWi-Fiルータがおすすめだ。

> ルータは11ax対応の製品がもっとも高速だ。このバッファロー「WSR-1800AX4S」は、11ax対応で約5,500円と手頃な価格。一つ前の11ac対応ルータでも十分高速で価格も安い

Q5 iPhoneで買ったアプリは使える?

A ユニバーサルアプリなら使える

iPhone専用アプリはインストール不可

iPhoneおよびiPadの両方に対応したユニバーサルアプリなら、iPadでも利用可能だ。iPhoneアプリ購入時と同じApple IDでサインインしていれば、購入済みの有料アプリでも無料でiPadへインストールできる。購入済みアプリは、アプリのインストールページの価格表示が雲の形のクラウドボタンに変わっているはずだ。なお、iPhone専用アプリの場合は、iPadのApp Storeで検索しても表示されない。

> 購入済みのiPhone／iPad両対応アプリなら、購入ボタンがクラウドボタンに変わり、無料でインストールできる

section

01

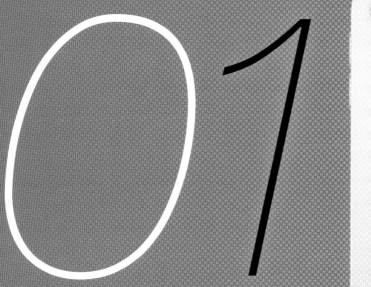

iPadスタートガイド

iPadを手にしたらまずは覚えたいボタンやタッチパネルの操作、
ホーム画面の仕組みやできることなど、基本中の基本を総まとめ。また、
文字入力やiCloudの操作法にもしっかりボリュームを取って解説している。

電源や音量をコントロールしよう

iPad本体に備わる ボタンやコネクタ

機種によって配置は若干異なるが、すべてのiPadは「トップボタン」と「音量調節ボタン」を搭載している。
まずはiPadに備わっている各ボタンやコネクタの役割を理解しよう。

ボタンの役割と使い方

すべてのiPadには「トップボタン」と「音量調節ボタン」が備わっており、無印iPadの第9世代のみ画面の下にホームボタンを搭載している。画面点灯後の操作は、ほぼすべてタッチパネルに指で触れて行うが、そ

れ以前の基本操作はこれらのボタンを使用する。トップボタンによる電源のオン／オフとスリープ／スリープ解除は、iPadを使い始めるための基本中の基本なのでしっかり覚えておこう。また、音量調節ボタンは、設定によって使い方が異なる点を把握しておきたい。ここではロック画面の操作を含めて、各ボタンの操作法を解説する。

iPadに備わるボタンやコネクタ

現在販売中のiPadは、右ページで紹介している無印iPadの第9世代を除き、すべてホームボタン非搭載のオールスクリーンモデルだ

トップボタン（Touch IDセンサー）

電源のオン／オフやスリープ／スリープ解除を行うボタン。詳しくはP016で解説している。Siriの起動やスクリーンショット撮影時にも利用する。iPad ProとiPad（第9世代）以外のトップボタンには、指紋認証を行えるTouch IDセンサーが内蔵されており、ロック解除などに利用できる。

音量調節ボタン

iPadで再生される音楽や動画の音量を調整するボタン。設定により、通知音や着信音もコントロールできるようになる（P017で解説）。なおiPad mini（第6世代）は、本体上部に音量調節ボタンが配置されている。

マルチタッチディスプレイ

iPadのほとんどの操作は、画面をタッチして行う。タッチ操作の詳細はP018〜019で解説している。

USB-Cコネクタ

本体下部のコネクタ。付属のケーブルを接続し、充電やデータの転送を行う。また、USB-C対応の各種周辺機器を接続することも可能。なお、現在発売中のiPadでは、iPad（第9世代）のみLightningコネクタを採用している。

ホームボタン搭載の iPadについて

本書ではホームボタンの有無による操作の違いも解説している

無印のiPad（第9世代）には画面下部にホームボタンが備わっており、スリープ解除やホーム画面に戻る操作などに利用する。ホームボタンの有無によって異なる操作もあるので注意しよう。

さまざまな機器を接続 できるコネクタ

本体下部のコネクタにUSB-C（Lightning）ケーブルを接続することで、充電以外にも外付けSSDやデジカメなどさまざまな機器を接続して利用できる。

Wi-Fi + Cellular モデルのSIMトレイ

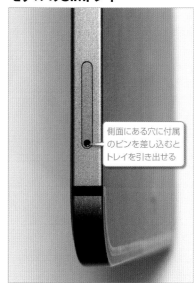

側面にある穴に付属のピンを差し込むとトレイを引き出せる

モバイル通信を利用できるWi-Fi + Cellularモデルには、nano-SIMカードを挿入するスロットも搭載。物理的なSIMカード不要で通信できるeSIM機能も備わっている。

iPadのロック画面を理解する

スリープもしくは電源オフ

スリープもしくは電源オフの状態。スリープと電源オフの違いはP017で解説している

iPadがスリープか電源オフで画面が消灯している状態。トップボタンかホームボタンを押してスリープを解除。電源がオフならトップボタンを長押しして電源をオンにする。

ロック画面

顔認証や指紋認証の他、パスコード入力でもロックを解除できる。画面ロックを設定していれば、他の人がこの画面から先に進むことはできない。画面ロックについてはP037で解説している

スリープが解除され画面が点灯し、ロック画面が表示された。画面下部から上へスワイプしてFace IDで顔認証を行うか、Touch IDのセンサーに指を当てて指紋認証を行う。

ホーム画面

ホーム画面が表示された

ロックが解除されるとホーム画面が表示され、すべての操作を行えるようになる。使わない時は、トップボタンを押してスリープ状態にしておこう。

Face IDとTouch IDの対応モデル
（2023年11月現在販売中のiPad）

◎Face ID（顔認証）対応
12.9インチiPad Pro（第6世代）／11インチiPad Pro（第4世代）

◎Touch ID（指紋認証）対応
iPad Air（第5世代）／iPad（第10世代）／iPad（第9世代）／iPad mini（第6世代）
※iPad（第9世代）のみホームボタンにTouch IDセンサーを内蔵。それ以外のモデルはトップボタンにTouch IDセンサーを内蔵。

iPadをスリープもしくは
スリープ解除する

トップボタンを押す

画面が表示されている状態でトップボタンを押すと、画面が消灯しスリープ状態となる。逆に画面消灯時に押すとスリープが解除されロック画面が表示される。これでタッチパネル操作を行えるようになる。なお、ホームボタンのないiPadでは、画面をタップしてスリープ解除を行うこともできる（右の記事で解説）。

電源をオンもしくは
オフにする

電源オンはトップボタンを長押し。電源オフはトップボタンと音量調節ボタンを長押し

↓

消灯時にトップボタンを押しても画面が表示されない時は、電源がオフになっている。トップボタンを4〜5秒長押ししてアップルのロゴが表示されたら電源がオンになる。電源をオフにする場合は、トップボタンとどちらかの音量調節ボタンを同時に長押しし、表示される「スライドで電源オフ」を右へスワイプすればよい。

画面をタップして
スリープを解除する

タップしてスリープ解除

スイッチをオンに

「設定」の「アクセシビリティ」→「タッチ」→「タップしてスリープ解除」のスイッチをオンにしておけば、（電源オンの状態で）消灯中の画面をタップするだけでスリープを解除できる。なお、ホームボタン搭載のiPad（第9世代）では、この機能は利用できない。

ホームボタン搭載iPadのスリープおよび電源操作

iPadをスリープもしくは
スリープ解除する

トップボタンでスリープおよびスリープ解除

Touch IDを設定していれば、ホームボタンを押してスリープ解除すると同時にロック解除も行える

画面表示時にトップボタンを押すと、画面が消灯してスリープ状態になる。スリープ解除はトップボタンを押してもよいが、ホームボタンを押せばそのままロック解除も行えてスムーズだ。

電源をオンもしくは
オフにする

電源オンはトップボタンを長押し。電源オフはトップボタンを長押ししスライダを操作

↓

消灯時にトップボタンを押しても画面が表示されない時は、電源がオフになっている。トップボタンを4〜5秒長押ししてアップルマークが表示されたら電源がオンになる。電源をオフにする場合は、トップボタンを長押しし、表示される「スライドで電源オフ」を右へスワイプすればよい。

Touch IDセンサーに
指を当ててロック解除

指を当てて開く

スイッチをオンにする

Touch ID搭載のiPadでは、「設定」の「アクセシビリティ」→「トップボタン／Touch ID」（または「ホームボタン」）で「指を当てて開く」のスイッチをオンにしておけば、ロック画面でトップボタンやホームボタンを押し込まなくても、指を当てるだけでロック解除が可能になる。

音量調節ボタンとその他の操作方法

音量調節ボタンで音楽や動画の音量を調整

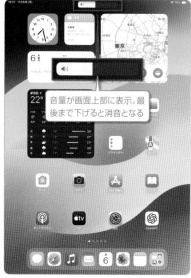

本体右側面や上部の音量調節ボタンで、再生中の音楽や動画の音声ボリュームを調整できる。標準状態では、音量調節ボタンでメールやFaceTimeの通知音、着信音のボリュームを調整することはできない。

通知音や着信音の音量を調整する

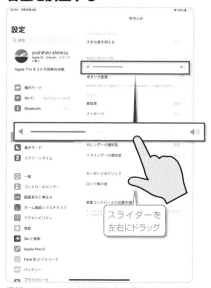

標準ではメールなどの通知音や着信音の音量を音量調節ボタンで調整することはできない。「設定」→「サウンド」にあるスライダーを左右にドラッグして調整しよう。

通知音や着信音の音量をボタンで操作する

「設定」→「サウンド」にある「ボタンで変更」のスイッチをオンにすると、音量ボタンで通知音や着信音の音量を調整できるようになる。ただし、音楽などの再生中にボタンを押すと、メディアのボリューム調整が優先される。

消音モードを利用する

通知音や着信音を消音したい場合は、コントロールセンター（P024で解説）で消音モードを有効にしよう。ボタンで音量を操作できるかどうかに関わらず即座に消音になる。なお、音楽やアラームは消音されないので注意しよう。

ボタンの長押しでSiriを起動する

音声でさまざまな操作を行える「Siri」。ホームボタンのないiPadではトップボタンを長押し、ホームボタン搭載iPadでは、ホームボタンを長押しすることで起動できる（P050で詳しく解説）。

画面の黄色味が気になる場合は

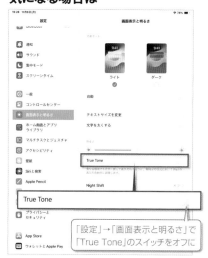

iPadのディスプレイに搭載される「True Tone」機能。周辺の環境光を感知し、画面の色や彩度を自動調整する機能だ。この機能を有効にすると、特に室内だと画面が黄色っぽい色になりがちだ。気になるなら機能をオフにしておこう。

💡 使いこなしヒント

スリープと電源オフの違いを理解する

電源をオフにすると通信もオフになりバックグラウンドの動作もなくなる。バッテリーの消費はほとんどなくなるが、メールやメッセージの受信、FaceTimeの着信をはじめとする全ての機能が無効となる。一方スリープは、画面を消灯しただけの状態で、メールやメッセージの受信をはじめとする通信機能や音楽の再生など、多くのアプリのバックグラウンドでの動作は継続される。電源オフとは異なり、すぐに操作を再開できるので、特別な理由がない限り、通常はiPadを使わない時もスリープにしておこう。

ほとんどの操作は画面タッチで行う
タッチパネルの操作方法を
しっかり覚えよう

前ページで解説した電源や音量、ホームボタン以外のすべての操作は、タッチパネルに指で触れて行う。
単純に画面にタッチするだけではなく、画面をなぞったり2本指を使用することで、さまざまな操作を行うことが可能だ。

iPadを操るための7つの必須操作法

アプリの起動や文字の入力、設定のオン／オフなど、iPadのほとんどの操作はタッチパネルで行うことになる。最もよく使う、画面を指先で1度タッチする操作を「タップ」と呼び、タッチした状態で画面をなぞる「スワイプ」、画面をタッチした2本指を開いたり閉じたりする「ピンチイン／ピンチアウト」など、ここで紹介する7つの基本動作を覚えておけば、どんなアプリでも操作することができる。iPhoneやスマートフォンを使っているユーザーなら、まったく同じ動作でタッチパネルを操作できるので、迷うことはないだろう。また、本書では、ここで紹介する「タップ」や「スワイプ」といった操作名を使って手順を解説しているので、しっかり覚えておこう。

タッチ操作 1
タップ
トンッと軽くタッチ

ホーム画面でアイコンを軽く1回タッチするとアプリが起動する

キーボードをタップして文字を入力

画面を1本指で軽くタッチする操作。ホーム画面でアプリを起動したり、画面上のボタンやメニューの選択、キーボードでの文字入力などを行う基本中の基本となる操作。

タッチ操作 2
ロングタップ
1〜2秒タッチし続ける

ホーム画面でアプリを1秒程度タッチし続けると、アプリの特定機能を素早く利用できるメニューが表示される

Safariでリンクや画像をロングタップすると、リンク先のプレビューや操作メニューが表示される。ただタップした場合とは動作が異なる

画面を一定時間（1〜2秒間）タッチしたままにする操作。ホーム画面でアプリをロングタップしてメニューを表示させたり、メールなどの文章をロングタップして、文字を選択することができる。

タッチ操作 3
ダブルタップ
軽く2回タッチする

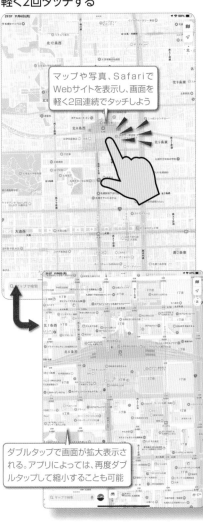

マップや写真、SafariでWebサイトを表示し、画面を軽く2回連続でタッチしよう

ダブルタップで画面が拡大表示される。アプリによっては、再度ダブルタップして縮小することも可能

タップを2回連続して行う操作。「トントンッ」と素早く行わないと、通常の「タップ」と認識されることがある。主に画面の拡大 や縮小表示に利用する以外は、あまり使わない操作だ。

タッチ操作 4
スワイプ
画面を指でなぞる

マップアプリでは、画面をスワイプした方向へ表示エリアが移動する

画面のさまざまな方向へ指を「すべらせる」操作。ホーム画面を左右にスワイプしてページを切り替えたり、マップの表示エリアを移動する際など、さまざまなアプリで頻繁に使用する操作法だ。

タッチ操作 5
フリック
タッチしてはじく

Safariなど縦にスクロールするアプリで画面を上へはじくと、強さに合わせた勢いで画面が下へスクロールする

画面をタッチしてそのまま「はじく」操作で。「スワイプ」とは異なり、はじく強さの加減よって、勢いを付けた画面操作が可能。ゲームの操作でも頻繁に使用する操作法だ。

タッチ操作 6
ドラッグ
押さえたまま動かす

アプリをロングタップしたまま指を動かすと、配置を変更できる

画面上のアイコンなどを押さえたまま、指を離さず動かす操作。例えばホーム画面でアプリをロングタップし、そのまま動かせば、位置を変更できる。文章を選択する際にも使用する。

タッチ操作 7
ピンチアウト/ピンチイン
2本指を広げる/狭める

写真やマップ、Safariなどで、指を広げると拡大表示される。狭めると表示が縮小される

画面を2本の指（基本的には人差し指と親指）でタッチし、指の間を広げたり（ピンチアウト）狭めたり（ピンチイン）する操作法。主に画面表示を拡大／縮小する際に使用する。

まれに使用する特殊な操作 1
2本指で回転
画面をひねるように操作

マップを2本指でタッチし、ひねって回転させると、自由な角度へ画面を回転できる

マップなどの画面を2本指でタッチし、そのままひねって回転させると、表示を好きな角度に回転させることができる。ノートやスケッチアプリでも使える場合があるので、試してみよう。

まれに使用する特殊な操作 2
2本指でスワイプ
2本指で画面をなぞる

マップを2本指でタッチし上下へ動かすと、視点が動き、建物が3D表示になる

マップを2本指でタッチし、そのまま上へ動かしてみよう。地図の表示角度が変わり、建物が立体的に見えるはずだ。このように、アプリによっては2本指のスワイプが使える場合がある。

使いこなしヒント

タッチの反応を調整する

画面を操作しづらいと感じた場合は、「設定」→「アクセシビリティ」→「タッチ」→「タッチ調整」で反応を調整可能。「保持継続時間」と「繰り返しを無視」を設定し、「タッチ調整」のスイッチをオンにすれば、反応時間を変更できる。

iPadスタートガイド

ホーム画面の仕組みと さまざまな操作方法

iPadの電源を入れ、画面ロックを解除するとまず表示されるのが「ホーム画面」だ。ホーム画面には、インストールされている アプリが並んでいる。すべての操作のスタート地点となるホーム画面の仕組みと操作法をマスターしよう。

ホーム画面の構成とアプリの起動方法

ひとつのホーム画面には、横4列×縦6段で最大24個（後述の Dockを除く）のアプリやフォルダを配置できる。また、ホーム画面は、左右にスワイプすることで複数のページを切り替えて利用可能だ。アプリが増えてきた際は、よく使うアプリを1ページ目に配置しておくと使いやすい。ページを切り替えても画面下に固定して表示されるアプリの格納エリアは「Dock（ドック）」といい、標準では、メールやメッセージ、Safariなどがセットされている。画面上部の現在時刻やバッテリー残量が表示されているエリアを「ステータスバー」と呼び、Wi-FiやBluetoothなど現在有効な機能やモバイルデータ通信の電波状況がアイコンで表示される。

ホーム画面の基本構成

1:48　11月7日(火)　　　　　　　　　　　　　　　　　　　　　　🛜 ○ 49% 🔋

ステータスバーで さまざまな情報を確認

現在時刻などが表示されている、画面上部の細長いエリアを「ステータスバー」と呼ぶ。電波状況やバッテリー残量などの基本情報に加え、位置情報やタイマーなどの利用状況がアイコンとして表示される。

画面下部から上へスワイプ してホーム画面に戻る

ホームボタンのないiPadでは、画面下部から上へスワイプすることで、いつでもどんなアプリを起動していてもホーム画面に戻ることができる。また、ホーム画面のページを切り替えている際も、この操作で1ページ目に戻れる。

最も良く使うアプリを Dockに配置

画面下にある「Dock（ドック）」は、ホーム画面をスワイプしてページを切り替えても固定されて表示される。また、アプリ使用中に呼び出すことも可能だ。フォルダも配置できる。

ホーム画面は、横4列×縦6段をスペースにアプリやウィジェットを配置できる。なお、ウィジェットを配置しないページでは、横5列×縦6段で合計30のアプリを配置可能だ

Dockの一番右にはアプリライブラリを呼び出せるアイコンも配置されている。「設定」→「ホーム画面とアプリライブラリ」→「アプリライブラリをDockに表示」をオフにして非表示にもできる

複数ページを スワイプで切り替え

ホーム画面は、複数のページを作成してスワイプで切り替えて利用できる。よく使うアプリを1ページ目に配置するなど工夫しよう。

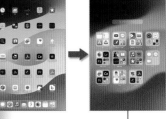

アプリライブラリ

ホーム画面を左へスワイプいくと、一番右に「アプリライブラリ」が表示される。iPadにインストールされている全アプリを自動的にジャンル分けして管理する機能だ。

ホームボタンで ホーム画面に戻る

ホームボタン搭載のiPadでは、ホームボタンを押すことでいつでもホーム画面に戻ることができる。また、画面下部から上へスワイプする方法も利用できる。

ホーム画面の各種操作法

1 | ホーム画面のアプリをタップして起動する

> タップして起動する

ホーム画面にあるアプリをタップすると、即座に起動して利用できる。あらかじめインストールされているApple製の標準アプリから使ってみよう。Webサイトを見る場合は、Dockにある「Safari」をタップ。

2 | アプリが起動し機能を利用できる

> まずはすぐに使えるSafariやマップから試してみよう。iPadにはじめからインストールされている標準アプリの操作法は、P053以降で詳しく解説している

アプリが起動してさまざまな機能を利用できる。アプリの終了は、画面下部から上へスワイプする。ホームボタン搭載モデルの場合は、ホームボタンを押してもよい。

3 | 終了させたアプリを再度起動する

> もう一度Safariを起動すると、終了前に開いていたサイトが表示される

多くのアプリは、終了させた後、再度タップして起動すると、終了した時点の画面から操作を再開できる。見ていたWebサイトを再度開いたり、書きかけのメモの続きを入力するといったことがすぐに行える。

4 | アプリ使用中にDockを利用する

> 画面下部から上へスワイプしてDockを表示。少しスワイプして指を止めるのがコツだ。Dockを下へスワイプするか、Dock以外のエリアをタップすれば非表示になる

↓

> Dockが表示された

ホーム画面に常時表示されるDockは、画面下部から上へスワイプすることでアプリ使用中でも呼び出せる。スワイプしすぎるとホーム画面に戻ったり、アプリスイッチャー（P023で解説）が表示されるので要注意。

5 | 直前に使用したアプリがDockに表示される

> 直前に使用したアプリが最大3つ表示される。「設定」→「ホーム画面とアプリライブラリ」の「アプリの提案と最近使用したアプリをDockに表示」オフにして非表示にできる

Dockの右エリアには、「アプリの提案と最近使用したアプリをDockに表示」として、直前に使用したアプリなどが最大3つ表示され、再度使用しやすくなっている。「設定」で非表示にすることも可能。

6 | ステータスアイコンの意味を覚えよう

Wi-Fi接続中	🛜
モバイル通信の電波状況	📶
機内モードがオン	✈️
位置情報サービス利用中	📍
画面の向きのロックがオン	🔒
アラーム設定中	⏰
おやすみモードを設定中	🌙
インターネット共有利用中	🔗
Bluetoothスピーカーやヘッドフォンを接続中	🎧

> ステータスバーに表示される、主なアイコンの意味を覚えておこう

使いこなしヒント

横画面でも利用できる

iPadにはセンサーが内蔵されており、本体を横向きにすると画面も自動で横向きに回転する。ホーム画面はもちろん、ほとんどのアプリも横向き表示に対応している。なお、画面を回転させるには、コントロールセンター（P024で解説）で「画面の向きのロック」がオフになっている必要がある。

> この状態なら画面が回転する

7 | ホーム画面を編集する

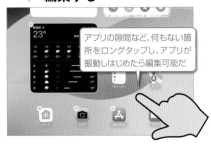

> アプリの隙間など、何もない箇所をロングタップし、アプリが振動しはじめたら編集可能だ

> 適当なアプリをロングタップし、表示される「ホーム画面を編集」を選んでもよい

アプリを削除　⊖
ホーム画面を編集　▦
バッテリー
Wi-Fi
Bluetooth

アプリの並べ替えや削除を行うには、ホーム画面の何もない箇所をロングタップして編集モードにする。アプリをロングタップして、メニューの「ホーム画面を編集」をタップしてもよい。

8 | アプリの配置を並べ替える

> ドラッグで移動。画面の端へ持って行くと、隣のページに移動させることもできる。右にページがない場合は、画面の右端へ持って行き、新たなページを作成できる。最後に右上の「完了」をタップして編集を終了しよう

ホーム画面が編集できる状態になったら、動かしたいアプリをドラッグして好きな位置に移動させよう。Dockへドラッグして追加することも可能だ。最も頻繁に使うアプリをDockにセットしておこう。

9 | 複数のアプリをまとめて移動させる

> ドラッグして少し移動させる

> まとめて移動させたいアプリをタップしていくとひとつに集まってくる

ホーム画面を編集可能な状態にし、移動させたいアプリを少しドラッグする。指を離さないまま別の指で他のアプリをタップするとアプリがひとつに集まり、まとめて移動させることが可能だ。

10 | フォルダを作成してアプリを整理する

> フォルダを開いた状態でフォルダ名をロングタップし、好きな名称に変更しよう

> ドラッグしてアプリを重ねる

アプリの移動時にドラッグして他のアプリへ重ねると、フォルダが作成され複数のアプリを格納できる。ジャンル別のフォルダを作るなど、わかりやすくホーム画面を整理しよう。

11 | アプリライブラリですべてのアプリを確認

> アプリは自動的に分類される。小さいアイコンが4つ並んだ部分をタップすると、そのカテゴリの全アプリを一覧できる

ホーム画面を一番右までスワイプして「アプリライブラリ」を表示。インストール中の全アプリをカテゴリ別に確認できる。ホーム画面のアプリは削除して、アプリライブラリだけに残すことも可能だ。

12 | アプリライブラリでアプリを検索する

> 検索欄をタップした段階で、全アプリがアルファベット順、続けて五十音順に一覧表示されるので、そこからアプリを探すこともできる

アプリライブラリ上部の検索欄をタップすると、キーワード検索で目的のアプリを探し出せる。アプリ名はもちろん、「カメラ」や「ノート」といった機能やジャンル名でも検索可能だ。

使いこなしヒント

ホーム画面のレイアウトを元の状態に戻す

アプリの配置を最初の標準状態に戻したい時は、「設定」→「一般」→「転送またはiPadをリセット」→「リセット」→「ホーム画面のレイアウトをリセット」をタップしよう。ホーム画面が初期状態にリセットされる。

> タップ

13 | アプリをアンインストール （削除）する方法

ロングタップして「ア
プリを削除」をタップ
を表示

タップ。削除したアプリ
はApp Store（P068
で詳しく解説）でいつで
も再インストールできる

アンインストール（削除）したいアプリをロング
タップし、表示されたメニューで「アプリを削除」
をタップ。続けて「削除」をタップすればアンイン
ストールが完了する。

14 | アプリをホーム画面 から取り除く

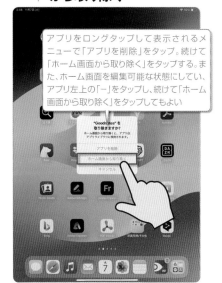

アプリをロングタップして表示される
メニューで「アプリを削除」をタップ。続けて
「ホーム画面から取り除く」をタップする。ま
た、ホーム画面を編集可能な状態にしてい、
アプリ左上の「−」をタップし、続けて「ホーム
画面から取り除く」をタップしてもよい

アプリをiPadからアンインストールしないで、
ホーム画面から取り除くこともできる。取り除か
れたアプリの本体はAppライブラリに残っている
ので、いつでもホーム画面に再配置できる。

15 | アプリライブラリから アプリを追加する

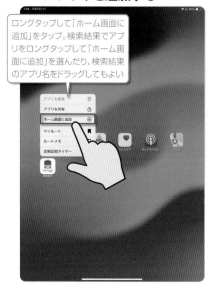

ロングタップして「ホーム画面に
追加」をタップ。検索結果でアプ
リをロングタップして「ホーム画
面に追加」を選んだり、検索結果
のアプリ名をドラッグしてもよい

アプリライブラリでアプリをロングタップし、
「ホーム画面に追加」を選べば、アプリライブラリ
にあるアプリをホーム画面に追加できる。アプリ
ライブラリからアプリをドラッグしてもよい。

16 | ページを並べ替えたり 非表示にすることが可能

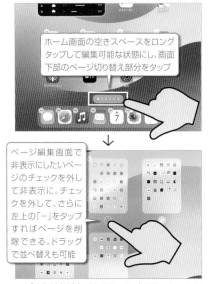

ホーム画面の空きスペースをロング
タップして編集可能な状態にし、画面
下部のページ切り替え部分をタップ

ページ編集画面で
非表示にしたいペー
ジのチェックを外し
て非表示に。チェッ
クを外して、さらに
左上の「−」をタップ
すればページを削
除できる。ドラッグ
で並べ替えも可能

アプリをどんどんインストールすると、ホーム画
面のページも増えていきがちだ。アプリを取り除
いていくのが面倒なら、ページ全体を非表示にし
たり削除したりしよう。

17 | バックグラウンドで 動作するアプリもある

停止ボタンを押さずにホーム画面
に戻ったり、他のアプリに切り替え
ると、そのまま再生は継続される

「ミュージック」など一部のアプリは、ホーム画面
に戻っても、終了することなくそのまま動作し続
ける。停止ボタンをタップするかアプリスイッ
チャーで終了させなければ、音楽を再生し続ける
ので注意しよう。

18 | アプリスイッチャーで アプリを切り替える

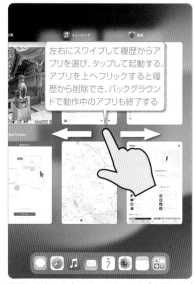

左右にスワイプして履歴からア
プリを選び、タップして起動する。
アプリを上へフリックすると履
歴から削除でき、バックグラウン
ドで動作中のアプリも終了する

画面下から上方向へゆっくりスワイプするとアプ
リスイッチャーが表示される。最近使ったアプリ
の履歴が一覧表示され、タップして素早く再起動
することが可能。ホームボタンを2回連続で素早
く押すことでも表示できる。

使いこなしヒント

複数のアプリを 削除したい時は

複数のアプリを削除したい場合は、
アプリをロングタップして表示さ
れるメニューで「ホーム画面を編
集」をタップ。編集可能な状態に
なったら、削除したいアプリアイコ
ン左上の「×」をタップしていこう。

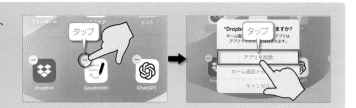

ウィジェット、通知センター コントロールセンターの使用方法

アプリに付随する各種ツールを表示できる「ウィジェット」、アプリからの通知を一覧表示できる「通知センター」、
Wi-Fiの接続／切断や各種機能のオン／オフを素早く行える「コントロールセンター」。3つのパネル型ツールを解説。

各ツールの表示方法

1

左端から右へスワイプ
ウィジェット（今日の表示）

ホーム画面の1ページ目で画面左端から右方向へスワイプすると、「ウィジェット」を組み合わせて配置できる「今日の表示」画面を引き出すことができる。ウィジェットは、アプリに付随するパネル状のツールで、アプリの情報を表示したり機能の一部を呼び出すことができる。「今日の表示」の外側をタップするとホーム画面に戻れる。

> ホーム画面に常時表示させる必要がないウィジェットは、「今日の表示」画面に配置しておこう

> 2 通知センターを表示

> 3 コントロールセンターを表示

> 1 ウィジェット（今日の表示）を表示

> ウィジェットは「今日の表示」画面だけではなく、ホーム画面にも自由に配置可能だ

2

画面左上から下へスワイプ
通知センター

ホーム画面やアプリ使用中に画面左上（上部中央付近でも可）から下へスワイプすると、各種アプリの通知が日にちごとにリスト表示される。各通知はタップやスワイプで操作可能だ。画面下部から上へスワイプすると、元の画面に戻る。

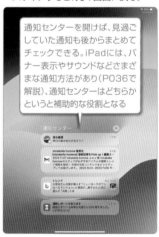

> 通知センターを開けば、見過ごしていた通知も後からまとめてチェックできる。iPadには、バナー表示やサウンドなどさまざまな通知方法があり（P036で解説）、通知センターはどちらかというと補助的な役割となる

ウィジェットは
ホーム画面にも配置できる

ウィジェットは、「今日の表示」だけではなくホーム画面の好きなところにも配置できる。アプリ1つ分、2つ分、4つ分、8つ分のサイズが用意されているので、アプリとの組み合わせで上手く配置しよう。なお、横画面にしても最適なレイアウトで表示される。また、iPadOS 17からはロック画面にもウィジェットを配置できるようになった（P028で解説）。

> 今日の予定や天気予報のほか、リマインダーを付箋のように表示するなど、情報を一目で確認できる。また、アプリの特定機能を素早く利用できるウィジェットもある

3

画面右上から下へスワイプ
コントロールセンター

ホーム画面やアプリ使用中に、画面右上から下へスワイプして表示し、主要な機能のオン／オフなどを行える。閉じるには、下部から上へスワイプする。表示項目は右の画面と若干異なる場合があるが、自由に追加、削除可能だ（P027で解説）。

❶左上から時計回りに機内モード、
　AirDrop（セルラーモデルでは
　モバイルデータ通信）、Bluetooth、Wi-Fi
❷ミュージックコントロール
❸左から画面の向きのロック、
　画面ミラーリング
❹集中モード
❺左から画面の明るさ調節、音量調節
❻左から消音モード、
　ステージマネージャ、メモ、カメラ

ウィジェットの設定、操作方法 その❶

1 ホーム画面にウィジェットを配置する

ホーム画面の何もない部分をロングタップし、アプリが振動し始めたらホーム画面の編集モードとなる。続けて、画面左上の「＋」をタップ

ホーム画面の何もない部分をロングタップし、続けて画面左上の「＋」をタップ。ウィジェット選択画面の左欄でアプリを選択しよう。なお、ここに表示されないアプリはウィジェットを搭載していないか、iPadOS 17に対応していない。

2 アプリに備わるウィジェットを選択する

ウィジェットを選んで「ウィジェットを追加」をタップ。ホーム画面に配置されるので、ドラッグして好きな位置に移動させよう

ウィジェット選択画面の左欄でアプリを選択し、続けてウィジェットのサイズや機能を選択する。サイズによって表示内容や機能が異なる場合もある。選んだら画面下の「ウィジェットを追加」をタップしよう。ウィジェットをドラッグしてホーム画面に配置してもよい。

3 「今日の表示」にウィジェットを配置する

一番下にある「編集」をタップ

タップしてウィジェットを選択する

「今日の表示」を表示し、スワイプして一番下にある「編集」をタップ。続けて画面左上の「＋」をタップするとウィジェット選択画面が表示。ウィジェットを選んで画面下の「ウィジェットを追加」をタップするか、ドラッグして配置しよう。

4 ウィジェットの位置を変更する

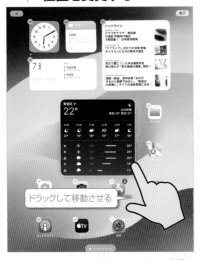

ドラッグして移動させる

ホーム画面の何もない部分をロングタップ（「今日の表示」では、一番下の「編集」をタップ）して編集モードにし、ウィジェットをドラッグして移動させよう。

5 ウィジェットの機能を設定する

ロングタップして「"○○"を編集」や「ウィジェットを編集」をタップ

天気アプリのウィジェットで天気を表示する地点を選択

ウィジェットの中には、配置後に設定が必要なものや表示項目を変更できるものがある。ウィジェットをロングタップして、表示されるメニューで「"○○"を編集」や「ウィジェットを編集」をタップしよう。

6 配置したウィジェットを削除する

タップ

タップして削除

ホーム画面の何もない部分をロングタップ（「今日の表示」では、一番下の「編集」をタップ）して編集モードにし、ウィジェットの左上にある「－」をタップ。続けて「削除」をタップすれば、そのウィジェットが削除される。

使いこなしヒント

写真アプリのウィジェットについて

写真アプリのウィジェットでは、さまざまなサイズで写真をスライドショーのように表示できる。ただし、表示されるのは写真アプリの「For You」で自動的に選択された写真のみ。好みの写真を表示させたい場合は、App Storeから「フォトウィジェット」などのアプリを入手しよう。

「For You」で選択された写真が一定時間で切り替わりながら表示される

1 ウィジェットを操作する

ミュージックアプリのウィジェットでは、「再生」をタップして音楽を再生することができる

配置したウィジェットをタップすると該当アプリが起動する。iPadOS 17では、ウィジェット上で直接アクションも実行可能になった。音楽の再生や停止、リマインダーの予定をチェックして完了するといった操作を行える。

2 同じサイズのウィジェットをスタックする

同じサイズのウィジェットをドラッグして重ねるとスタックされる

ひとつのウィジェットの中に複数のウィジェットを格納し、スワイプで切り替えて利用できる「スマートスタック」機能。同じサイズのウィジェットを重ねることで簡単に利用できる。

3 スマートスタックを利用する

上下にスワイプしてウィジェットを切り替える

作成したスマートスタックを上下にスワイプすると、ウィジェットを切り替えることができる。特に最大サイズのウィジェットは場所を取るので、スタックを活用してホーム画面を整理しよう。

4 スマートスタック内のウィジェットを編集する

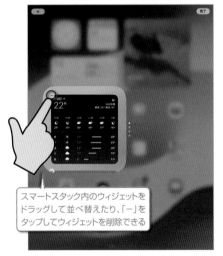

スマートスタック内のウィジェットをドラッグして並べ替えたり、「−」をタップしてウィジェットを削除できる

スマートスタックをロングタップして、表示されるメニューで「スタックを編集」をタップすれば、スマートスタック内のウィジェットを並べ替えたり削除することができる。

5 スマートスタックの便利な機能を利用する

スマートスタックをロングタップして「スタックを編集」をタップ。「スマートローテーション」と「ウィジェットの提案」をタップしてオン／オフを設定しよう

スマートスタックの「スマートローテーション」機能は、状況に応じて最適なウィジェットが自動で表示される機能。「ウィジェットの提案」は、ユーザーが必要としていそうなウィジェットを自動追加してくれる機能。

6 ウィジェットを検索する

アプリ名を入力してウィジェットを検索しよう

ウィジェット選択画面の上部にある検索欄では、ウィジェットのキーワード検索を行える。アプリ名を入力して検索しよう。なお、各ウィジェットの名前では検索できないようだ。

使いこなしヒント

同じウィジェットをスタックしてみよう

スマートスタックは、ただ同じサイズのウィジェットをスタックするだけではなく、別々の地点を設定した天気ウィジェットを複数スタックしたり、異なるアカウントのメールボックスをスタックするなど、多彩な活用法が考えられる

例えば天気アプリの同サイズのウィジェットを複数スタックし、それぞれに別の地点を設定しておくといった使い方ができる

通知センターとコントロールセンターの操作方法

1 通知センターに通知を表示させる

「通知センター」にチェックを入れる

通知のグループ化

自動

アプリ別

オフ

「通知のグループ化」も確認。アプリごとに最適化されたグループで表示される「自動」、アプリごとにまとめる「App別」、通知をすべて新着順に表示する「オフ」から選択しよう

通知センターに通知を表示するかどうかはアプリごとに設定できる。「設定」→「通知」でアプリを選択。「通知の配信」欄で「即時配信」を選んだ後、「通知」欄の「通知センター」にチェックを入れよう。また、通知のグループ化も設定しておこう。

2 通知センターで通知に対応する

タップまたはロングタップで通知に対応する。対応した通知は消去される。また、グループ化された通知はタップすればすべて一覧表示される

通知センターの通知をタップすれば、アプリが起動し通知された内容が表示される。また、通知をロングタップすれば、通知センターの画面上で詳細を確認できる。FaceTimeのなどは、通知センターから折り返すこともできる。

3 通知センターの通知を操作する

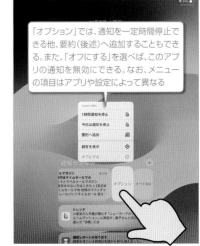

「オプション」では、通知を一定時間停止できる他、要約(後述)へ追加することもできる。また、「オフにする」を選べば、このアプリの通知を無効にできる。なお、メニューの項目はアプリや設定によって異なる

1時間通知を停止

今日は通知を停止

要約へ追加

設定を表示

オフにする

通知センターの通知を左にスワイプしきるか、途中で止めて「消去」をタップすれば、通知を消去できる。また、途中で止めて「オプション」をタップすれば、通知の停止などの操作を行うことができる。

4 通知の要約を表示する

通知センターに表示された通知の要約。要約の配信時刻は、「設定」→「通知」→「時刻指定要約」で設定する。1日に複数回配信することも可能。なお、アプリごとに配信時刻を設定することはできない

「設定」→「通知」でアプリを選び、「通知の配信」欄で「時刻指定要約」を選択すれば、指定した時刻に通知がまとめて配信される。この「要約」は、通知センターにも表示される。ニュースなどまとめてチェックしたいアプリに適した機能だ。

5 コントロールセンターをロングタップする

画面の明るさ調整スライダをロングタップしたところ。他の項目でも試してみよう

コントロールセンターに備わる各項目の中には、ロングタップしてさらなる機能を利用できるものもある。例えば、画面の明るさ調整スライダをロングタップすると、ダークモードやNight Shift、True Toneをオン／オフできるボタンが表示される。

6 コントロールセンターをカスタマイズする

各項目の「+」をタップして追加、「−」をタップして削除する。

「設定」→「コントロールセンター」で、コントロールセンターに新たな機能を追加することができる。また、不要な項目は削除することも可能だ。

各ツールのロック画面での利用方法

使いこなしヒント

今日の表示、通知センター、コントロールセンターは、ロック画面でも利用可能だ。ホーム画面同様に画面端からスワイプすることで表示できる。ただし、通知センターで過去の通知を一覧するには、ホーム画面の操作とは異なり、画面を上へスワイプする必要がある。

iPadスタートガイド

壁紙の変更と
ロック画面のカスタマイズ

ホーム画面とロック画面の壁紙を変更する方法と、iPadOS 17で可能になった
ロック画面へのウィジェット配置の方法をまとめて解説。見た目も機能も自分好みにカスタマイズしよう。

柔軟なカスタマイズが可能になった

iPadを起動した際のロック画面とホーム画面の壁紙（背後のイメージ）は自由に変更可能だ。はじめから用意されている画像の他、自分で撮影した写真も設定できる。また、iPadOS 17では、iPhoneのようにロック画面へのウィジェット配置が可能となった。天

気予報やニュース、株価などのリアルタイム情報を確認したり、ロック画面からワンタップでアプリの特定機能を起動させるといったことができるようになった。壁紙やウィジェットは柔軟にカスタマイズできる反面、その設定方法は少しわかりづらい。あらかじめ仕組みをしっかり覚えておきたい。まずは、ロック画面とホーム画面の壁紙はワンセットとして設定、管理することを理解しよう。

壁紙の基本的な設定方法

ロック画面では、壁紙の変更はもちろん、ウィジェットの配置や時刻の書体変更も行える

ワンセットになっている

ホーム画面にはロック画面とは異なる壁紙を設定することも可能

ロック画面　　　　**ホーム画面**

ロック画面とホーム画面の
ワンセットで設定、管理する

ロック画面とホーム画面の壁紙や各種カスタマイズはワンセットで追加、設定、管理する仕組みだ。複数のセットを設定しておいて、気分に合わせて切り替えることも可能だ。なお、削除する際もセットで削除されるので注意が必要だ。まずこのページでは、ロック画面とホーム画面で同じ壁紙を設定する基本手順を解説する。

1 | 新しい壁紙を追加する

複数の壁紙セットを設定している場合は、左右にスワイプ後、「現在の壁紙に設定」をタップして切り替える

まずは「設定」→「壁紙」で「＋新しい壁紙を追加」をタップ。

2 | 壁紙を選択する

壁紙を選択

↓

タップ　　**追加**

↓

タップ

ジャンル分けされた各種イメージから好みのものを選択し「追加」をタップ。続けて「壁紙を両方に設定」をタップすれば、ロック画面とホーム画面の壁紙が変更される。「ホーム画面をカスタマイズ」をタップすれば、ホーム画面にロック画面とは異なる壁紙を設定できる。

ロック画面とホーム画面のカスタマイズ方法

1 | ホーム画面の壁紙を別のものに変更する

ロック画面に写真を選択した場合は、ホーム画面に「コレクション」や「天気」などの内蔵壁紙を設定することはできないので注意しよう

ホーム画面の壁紙をロック画面とは異なるものにしたい場合は、「設定」→「壁紙」で、ホーム画面側の「カスタマイズ」をタップ。下部のメニューで変更する。写真やカラー（背景が選んだ1色になる）、グラデーションを選択可能。「ペアリング」でロック画面と同じ壁紙に戻せる。

2 | 自分で撮影した写真を壁紙に設定する

「すべて」をタップ

自分で撮影した写真やダウンロードした写真（著作権に注意）を壁紙に設定したい場合は、壁紙選択画面左上の「写真」をタップ。次の画面で、検索欄下の「すべて」をタップすれば、写真アプリ内のすべての写真を表示し、選択できる。

3 | 時間に応じて壁紙の写真を自動で切り替える

「シャッフルの頻度」で写真が切り替わるタイミングをタップ時、ロック時、1時間ごと、毎日から選択できる

壁紙選択画面で「写真シャッフル」を選択すると、一定時間の経過と共に自動で写真が切り替わる壁紙を設定できる。自分で選択した写真を設定したい場合は、あらかじめ写真アプリで作成したアルバムを選択するか、画面下部の「写真を手動で選択」をタップして写真を選ぼう。

4 | ロック画面にウィジェットを配置する

ウィジェットのサイズは2パターン。最大で4つ配置できる。配置したら、「×」で選択画面を閉じ、続けて画面右上の「完了」をタップ

「設定」→「壁紙」で、ロック画面側の「カスタマイズ」をタップすれば、ロック画面の編集画面が表示される。時刻の下の「＋ウィジェットを追加」をタップし、ウィジェットを選択しよう。時刻の上の日付と曜日部分も、タップして別のウィジェットに変更可能だ。

5 | 時計の表示スタイルを変更する

フォントと太さ、カラーを設定したら、画面右上の「完了」をタップする

ロック画面の時刻表示もカスタマイズ可能だ。「設定」→「壁紙」で、ロック画面側の「カスタマイズ」をタップ。編集画面で時刻部分をタップすればよい。フォント（書体）と太さ、カラーを自由に変更できる。

6 | ロック画面からカスタマイズを開始する

ロック画面をロングタップ。この画面を左右にスワイプして、壁紙を切り替えることもできる

ロック画面をロングタップして、画面下部の「カスタマイズ」をタップすることでも、壁紙やウィジェットの編集画面を開くことができる。また、画面右下の「＋」をタップすれば、新たな壁紙を設定可能だ。

使いこなしヒント

壁紙の削除はロック画面で行う

ロック画面をロングタップし、次の画面で左右にスワイプして削除したい壁紙を表示。次に、上へスワイプして表示されるゴミ箱ボタンをタップすれば壁紙を削除できる。ロック画面とホーム画面のワンセットで、ロック画面のウィジェットの設定も含めて削除される。

タップ

iPadスタートガイド

作業を効率化するiPadならではの機能
複数のアプリを同時に利用できるマルチタスク機能の使い方

マルチタスクはiPhoneにはない、iPadならではの機能だ。画面上に複数のアプリを表示できるので、別々のアプリの情報を見比べたり、アプリ間でデータをやり取りする際に役立つはずだ。

3つのマルチタスク機能を搭載

iPadには複数の作業を同時進行したり、アプリ間のやり取りをスムーズに行うための強力なマルチタスク機能が備わっている。画面の大きさを活かしたiPadならではの機能だ。画面を2分割して別々のアプリを同時に表示できる「Split View」や、アプリの上に小型ウインドウを表示して別のアプリを利用できる「Slide Over」に加え、「ステージマネージャ」という機能を使えば、最大4つのウインドウを同時に表示可能な上、ウインドウのサイズや配置も自在に変更できる。ただし、ステージマネージャを使えるのは一部のiPad ProとiPad Airのみ（対応モデルは下記に掲載）だ。

全機種で使えるマルチタスク機能

画面を分割して2つのアプリを利用
Split View

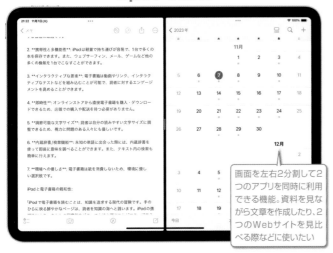

> 画面を左右2分割して2つのアプリを同時に利用できる機能。資料を見ながら文章を作成したり、2つのWebサイトを見比べる際などに使いたい

アプリの上に小型ウインドウを表示
Slide Over

> フルスクリーン表示のアプリの上に、小型のSlide Overウインドウでもうひとつのアプリを表示できる機能。小型のSlide Overウインドウは画面外に出し入れできるので、時々参照したいアプリを表示する際におすすめ

一部機種で使えるマルチタスク機能

4つのウインドウを開ける
ステージマネージャ

> 最大4つのアプリウインドウを開き、グループとして利用できる。ウインドウサイズも調整でき、より自由度の高いワークスペースを利用できる

ステージマネージャ対応iPad
12.9インチiPad Pro（第3世代以降）
11インチiPad Pro（全世代）
iPad Air（第5世代）

ステージマネージャと従来のマルチタスクは排他的

「Split ViewとSide Over」と「ステージマネージャ」は排他的な関係にあり、設定によってどちらか一方しか利用できない。「設定」→「マルチタスクとジェスチャ」で「Split ViewとSide Over」か「ステージマネージャ」のどちらかにチェックを入れておこう。ステージマネージャはコントロールセンターでもオン／オフを切り替え可能だ（P024で解説）。

> 「設定」→「マルチタスクとジェスチャ」の「マルチタスク」欄で、使いたいマルチタスク機能を選択。どちらも使わないならオフにしておこう

Split Viewの開始方法

1 ひとつ目のアプリを起動してSplit Viewを実行

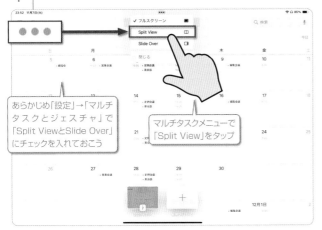

あらかじめ「設定」→「マルチタスクとジェスチャ」で「Split ViewとSlide Over」にチェックを入れておこう

マルチタスクメニューで「Split View」をタップ

まずはひとつ目のアプリを起動して画面上部にある「…」をタップ。マルチタスクメニューで「Split View」をタップしよう。

2 2つ目のアプリをホーム画面でタップ

ホーム画面から2つ目のアプリを選択する

ひとつ目のアプリのウインドウが一旦画面端に移動し、ホーム画面が表示される。ここから2つ目のアプリを選んで起動しよう。アプリライブラリを表示してそこからアプリを起動してもOKだ。

3 画面が分割されて2つのアプリを利用できる

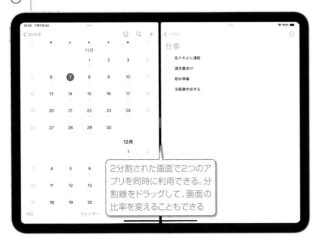

2分割された画面で2つのアプリを同時に利用できる。分割線をドラッグして、画面の比率を変えることもできる

画面が左右に分かれて、2つのアプリが別々のウインドウで同時表示される。上の画像はカレンダーとリマインダーを表示した例だ。これならスケジュールとタスクを同時にチェックしやすい。

Slide Overの開始方法

1 ひとつ目のアプリを起動してSlide Overを実行

あらかじめ「設定」→「マルチタスクとジェスチャ」で「Split ViewとSlide Over」にチェックを入れておこう

マルチタスクメニューで「Slide Over」をタップする

Slide Overの利用開始方法を解説する。まずはひとつ目のアプリを起動して画面上部にある「…」をタップ。マルチタスクメニューで「Slide Over」をタップしよう。

2 2つ目に起動するアプリをホーム画面で選択する

ひとつ目のウインドウは画面端に移動する。ホーム画面から2つ目のアプリを選択しよう

ひとつ目のアプリのウインドウが一旦画面端に移動し、ホーム画面が表示される。ここから2つ目のアプリを選んで起動しよう。アプリライブラリを表示してそこからアプリを起動してもOKだ。

3 ひとつ目のアプリがSlide Overで表示される

Slide Overウインドウの「…」を画面左右端にフリックすれば、ウインドウを画面外に隠せる。画面左右端から中央へフリックすれば再表示できる

すると、ひとつ目のウインドウが小型のSlide Overウインドウで表示され、2つ目のアプリがフルスクリーン表示になる。上の画像はメモと写真アプリを表示した例。写真をドラッグしてメモに貼り付けるのに最適だ。

iPadスタートガイド

Split ViewとSlide Overの各種操作

1 | Split ViewとSlide Over を終了する

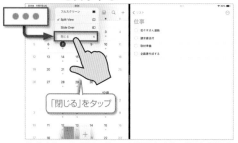

「閉じる」をタップ

Split ViewやSlide Overを終了させたい際は、閉じたいウインドウの「…」をタップしてマルチタスクメニューを表示し、「閉じる」をタップすればよい。

2 | Split Viewで 表示アプリを変更する

変更したいウインドウの「…」を下にスワイプ

アプリを変更したい場合は、ウインドウ上部の「…」を下にスワイプするとホーム画面が開くので、アプリを再び選択すればよい。

3 | Slide Overウインドウの アプリを切り替える

左右にスワイプ。過去にSlide Overで表示したことのあるアプリに切り替えられる

Slide Overウインドウのアプリを別のアプリに切り替えたい場合は、Slide Overウインドウ最下部にある線を左右にフリックする。

4 | Dockやアプリライブラリで アプリを変更する

DockやAppライブラリからアプリをドラッグ&ドロップ

DockやAppライブラリからアプリをドラッグすることでも、Split ViewやSlide Overのアプリを変更可能だ。変更したいウインドウ上にドロップしよう。

5 | ウインドウ間でデータを ドラッグ&ドロップする

データを貼り付ける場合は、貼り付け先のウインドウに「+」と表示されてからドロップしよう

Split ViewやSlide Overのウインドウ間では、データをドラッグ&ドロップできる。文書への写真貼り付けやテキストの編集、ファイルの整理などに利用しよう。

6 | 同じアプリのウインドウを 複数表示する

Safariを2画面で開いてネットショップの商品を比較したり、文章作成アプリを2画面で開いて長文の編集を行ったりできる

対応しているアプリであれば、同じアプリを2画面で表示することもできる。2つ目のアプリ選択時にひとつ目と同じアプリをタップしよう。

7 | リンクやファイルを マルチタスクで開く

Safariのリンクをドラッグ&ドロップ。左右端に持って行けばSplit Viewで、開くことができる

Safariのリンクやファイルアプリ内のファイルを画面の左右端にドラッグすれば、リンク先やファイルをSplit Viewで開くことができる。

8 | Split Viewの上に Slide Overを表示

フルスクリーン側のマルチタスクメニューで「Split View」をタップ

画面端から中央にフリックしてSlide Overを再表示すれば、このように3つのウインドウを表示できる

まずはSlide Overで2つのアプリを起動し、フルスクリーン側でマルチタスクメニューを表示する。メニューで「Split View」をタップしよう。

ホーム画面でアプリを選び、Split Viewで起動しよう。さらに画面端から中央にフリックすることでSlide Overのウインドウが再表示される。

9 | Split Viewから Slide Overに切り替える

マルチタスクメニューで「Slide Over」を選べば、このウインドウがSlide Overウインドウで表示される

Split Viewで左右どちらかSlide Over表示にしたいウインドウのマルチタスクメニューを表示して「Slide Over」をタップすれば、Slide Overに変更される。

10 | Slide Overから Split Viewに切り替える

左右どちらにSplitするかを選択

Slide Overウインドウのマルチタスクメニューで「Split View」をタップ「左にSplit」か「右にSplit」を選択すればSplit Viewに切り替わる。

11 | 別の操作法で マルチタスクを開始する

Dockからアプリをドラッグ&ドロップする。Dock右端のアプリライブラリからアプリをドラッグ&ドロップしてもよい

Dockからアプリをロングタップして上にドラッグする。そのまま指を離せばSlide Over、画面左右端までドラッグして指を離せばSplit Viewを開始できる。

ステージマネージャの開始方法

1 | マルチタスクボタンをタップして開始する

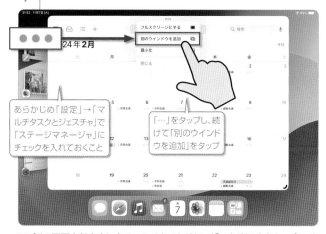

あらかじめ「設定」→「マルチタスクとジェスチャ」で「ステージマネージャ」にチェックを入れておくこと

「…」をタップし、続けて「別のウインドウを追加」をタップ

アプリの画面上部中央にあるマルチタスクボタン（「…」ボタン）をタップし、表示されたメニューで「別のウインドウを追加」をタップ。最近使ったすべてのアプリのウインドウ一覧が表示される。

2 | 追加したいアプリを選択する

何もないエリアをタップすればホーム画面が表示され、そこからもアプリを選択できる

ウインドウが画面外に移動し最近使ったすべてのアプリのウインドウ一覧が表示されるので、タップして選択する。Dockやホーム画面、アプリライブラリから選んでタップしてもよい。

最大4つのウインドウがグループ化される。同じアプリで複数のウインドウを利用できる点も理解しておこう

「最近使ったアプリ」をタップしてグループやアプリを素早く切り替えられる。タスクごとに複数のグループを作成して切り替えれば効率的に作業可能だ。最近使ったアプリが表示されていない場合は、画面左端から右へスワイプ

Dockのアプリをタップすれば、そのアプリに素早く切り替えられる。Dockが表示されていない場合は、画面下から上へ少しスワイプする

3 |

ステージマネージャでマルチタスクが開始

手順1と2を繰り返して、最大4つのウインドウを表示可能。これでアプリがグループ化され、ひとつのアプリのように扱えるようになる。4つ表示時に続けてウインドウを追加すると、最背面のウインドウがグループから削除される。

4 | ウインドウの位置や重ね順を変更する

画面上部をドラッグしてウインドウを自由に移動可能

各ウインドウは、画面上部をドラッグすることで移動させることができる。また、背後にあるウインドウをタップすれば最前面に移動しアクティブになる。

5 | ウインドウのサイズを変更する

この部分をドラッグしてサイズ変更。使いやすい画面を構成しよう

各ウインドウの右下角や左下角にある黒い曲線のマークをドラッグすれば、ウインドウサイズを変更できる。Dockのエリアまでウインドウを大きく広げることも可能だ。

1 | ウインドウをフルスクリーンにする

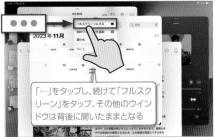

「…」をタップし、続けて「フルスクリーン」をタップ。その他のウインドウは背後に開いたままとなる

マルチタスクメニューで「フルスクリーン」を選べば、そのウインドウがフルスクリーン表示になり、グループから削除される。

2 | ウインドウを最小化する

「…」をタップし、続けて「最小化」をタップ

マルチタスクメニューで「最小化」を選ぶと、そのウインドウはグループから削除され、最近使ったアプリに移動する。

3 | ウインドウを閉じる

「…」をタップし、続けて「閉じる」をタップ

マルチタスクメニューで「閉じる」を選ぶと、そのウインドウが閉じる。ミュージックなどの場合、音楽の再生も停止する。

4 | 下にフリックして最小化する

画面上部を下へフリックする

ウインドウの上部を下へフリックすれば、マルチタスクメニューの「最小化」と同じように、そのウインドウがグループから削除され最近使ったアプリへ移動する。

5 | ウインドウ間でデータをドラッグ&ドロップする

データを貼り付ける場合は、貼り付け先のウインドウに「+」と表示されてからドロップしよう

ステージマネージャのウインドウ間では、データをドラッグ&ドロップできる。文書への写真貼り付けやテキストの編集、ファイルの整理などに利用しよう。

6 | 同じアプリのウインドウを複数表示する

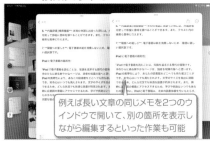

例えば長い文章の同じメモを2つのウインドウで開いて、別の箇所を表示しながら編集するといった作業も可能

対応しているアプリであれば、同じアプリの複数のウインドウをひとつのグループ内に表示させることもできる。同じファイルを複数表示させることも可能。

7 | リンクやファイルをマルチタスクで開く

Safariのリンクをドラッグしてこのような表示になったら指を離す

Safariのリンクやファイルアプリ内のファイルをウインドウ外へドラッグすれば、リンク先やファイルを別ウインドウとして開くことができる。

8 | 最近使ったアプリからウインドウを追加する

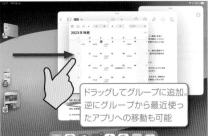

ドラッグしてグループに追加。逆にグループから最近使ったアプリへの移動も可能

最近使ったアプリからドラッグすることでもウインドウを追加できる。また、ウインドウ上部をドラッグして最近使ったアプリへ移動させることも可能だ。

9 | Dockからウインドウを追加する

ドラッグしてウインドウを追加

Dockのアプリをロングタップしてドラッグすることでも、ウインドウを追加できる。Dockの一番右にあるAppライブラリからも同様の操作が可能だ。

10 | コントロールセンターでオン/オフを切り替える

このボタンをタップ

ステージマネージャはコントロールセンターでもオン/オフを切り替えられる。「設定」で切り替えるより素早く操作できるので覚えておこう。

11 | 最近使ったアプリからグループやアプリを削除

グループ内の個別のウインドウを選んで上へフリックすれば、そのウインドウだけが消去される

最近使ったアプリの履歴は個別に消去することもできる。最近使ったアプリのすべてを表示した画面で、消去したいウインドウを上へフリックすればよい。

12 | 最近使ったアプリやDockを非表示にする

コントロールセンターのステージマネージャをロングタップして、各項目のチェックを外してもよい

最近使ったアプリやDockを非表示にし、画面を広く使うことも可能。「設定」→「ホーム画面とマルチタスク」→「ステージマネージャ」でチェックを外そう。

アプリで開いた複数のウインドウを管理する

1 | アプリで開いている ウインドウを確認

iPadの多くのアプリでは、パソコンのように複数のウインドウを開いて作業することができる。この仕組みによって、タスクごとにウインドウを開いて切り替えながら作業したり、同じアプリのウインドウ同士をマルチタスクでグループ化したり、同じアプリのウインドウをそれぞれ別のアプリと組み合わせて、異なるワークスペースで利用するといった使い方が可能なのだ。煩雑にならないよう、開いているすべてのウインドウを一覧できる画面できちんと管理しよう。

Dockやホーム画面のアプリをロングタップして「すべてのウインドウを表示」を選択すると、現在そのアプリで開いているウインドウがすべて表示される

2 | すべてのウインドウ画面で新規ウインドウを開く

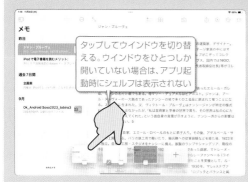

タップして新規ウインドウを作成

アプリで開いているすべてのウインドウ表示画面の左上にある「＋」をタップすると、そのアプリを新規ウインドウで開くことができる。作業中のウインドウを残したまま、新しいウインドウで作業を行える。

3 | ダミーダミーダミーダミーダミーダミー

閉じたウインドウを再び開く

「閉じたウインドウを再び開く」で閉じたウインドウの再表示も可能

すべてのウインドウ表示画面で各ウインドウを上へフリックすると、ウインドウを閉じることができる。画面左上の「閉じたウインドウを再び開く」をタップすれば閉じたウインドウを再表示可能だ。

💡 使いこなしヒント | **ステージマネージャがオフの時に使える「シェルフ」機能**

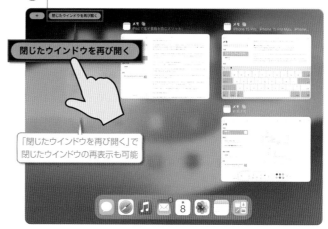

タップしてウインドウを切り替える。ウインドウをひとつしか開いていない場合は、アプリ起動時にシェルフは表示されない

ステージマネージャがオフの場合、アプリ起動時やマルチタスクメニューをタップした際に「シェルフ」が表示。そのアプリで開いているウインドウが画面下部に一覧表示される。

タップして新規ウインドウを作成

シェルフの一番右の「新規ウインドウ」をタップすれば、そのアプリを新規ウインドウで開くことができる。また、ウインドウを上へフリックすれば、そのウインドウを閉じることができる。

さままなアプリの新着情報を知らせてくれる便利な機能

さまざまな通知の方法を
理解し適切に設定する

メールやメッセージの受信をはじめ、カレンダーやSNSなどさまざまなアプリの新着情報を知らせてくれる通知機能。
通知の方法も音や画面表示など多岐にわたるので、あらかじめ適切に設定しておこう。

まずは不要な通知をオフにしよう

通知機能はなくてはならない便利な機能だが、きちんと設定しておかないと頻繁に鳴るサウンドや不要なバナー表示にわずらわされることも多い。そこで、あらかじめ通知設定をしっかり見直すことが肝心だ。まずは、通知そのものが不要なアプリを洗い出し、設定を無効にしよう。さらに、バナーやサウンド、バッジなどの通知方法を重要度によって限定したり、人に見られたくないものはロック画面に表示させないなど細かく設定しておきたい。通知があることがわかればよいだけならバッジだけ有効にしたり、無効にはせず通知センターだけに表示するなど、柔軟に設定していこう。なお、すべての通知設定は、「設定」→「通知」でアプリを選んで行う。

各通知項目を設定していく

[通知設定を確認する]

不要な通知をオフに。また、すぐに通知を知らせてほしい場合は「即時配信」にチェックする

通知の設定は、「設定」→「通知」でアプリを選んで変更する。まずは、不要な通知を無効にすることからはじめよう。「設定」→「通知」でアプリを選び、「通知を許可」をオフにすれば、通知そのものを無効にできる。判断できないものはオンにしておき、届いた通知を確認した後に設定を見直そう。また、メールアプリは、登録しているアドレスごとに通知を設定可能だ。

💡 使いこなしヒント

指定時間に通知をまとめて受け取る「時刻指定要約」

「即時配信」ではなく「時刻指定要約」にチェックを入れると、そのアプリの通知が指定時刻にまとめて配信されるようになる。1日の配信回数と配信時刻は、「設定」→「通知」→「時刻指定要約」で全アプリに対して設定する。なお、「即時通知」をオンにすると、要約とは別に即時の通知も実行される。

1 | 通知の表示場所やスタイルを選択

「設定」→「通知」でアプリを選び、「通知」欄を確認。まず、「ロック画面」や「通知センター」に表示するかどうかを指定する。また、重要な通知は「バナー」表示を有効にしておこう。特に重要なものは、「バナースタイル」を「持続的」にしておけば、なんらかの操作を行わない限りバナーが表示され続けるので、通知を見落とすこともなくなる。

3 | アプリアイコンに表示されるバッジの設定

未読メールが10件あるという通知

アプリアイコンの右上に赤い丸で表示される通知を「バッジ」と呼ぶ。メールの未読件数などが数字で表示される便利な機能だ。確認の優先度が低くて数字が増えていく一方のアプリは、設定で「バッジ」のスイッチをオフにしておこう。

2 | サウンドでの通知を設定する

重要度が低いものはオフに

すぐに気付いて対処する必要がないなら、「サウンド」はオフにしておきたい。メールやメッセージの場合、サウンド設定画面で「なし」を選択すればよい。また、メールやメッセージ、FaceTimeの着信／通知音の種類も選択できる。

4 | 通知に内容のプレビューを表示

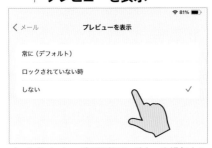

メールやメッセージの通知で、バナーや通知センター、ロック画面に内容の一部を表示したくない場合は、「プレビューを表示」を「しない」か「ロックされていないときのみ」に変更しよう。

iPadを無断で使われないように設定しておく

ロック画面のセキュリティを
しっかり設定しよう

不正アクセスなどに気をつける前に、まずiPad自体を勝手に使われないように対策しておくことが重要だ。
画面をロックするパスコードとFace IDやTouch IDは、最初に必ず設定しておこう。

顔認証や指紋認証で画面をロック

iPadは、画面ロックを設定しておけば他の人に勝手に使われることはない。万が一に備えて必ず設定しておこう。使う度にパスコード入力を行うのは面倒だが、現在販売中のiPadには、顔認証を行える「Face ID」と指紋認証を行える「Touch ID」のどちらかが搭載され

ている。これらを使えば、毎回のパスワード入力を省略して、画面に顔を向けたりトップボタンやホームボタンに指を当てるだけでスムーズにロックを解除できるようになる。なお、顔や指紋を登録する際、合わせてパスコードも設定するので、Face IDやTouch IDがうまく認識しないときはパスコードを使ってロック解除を行うこともできる。

iPadのセキュリティを設定する

Face IDを設定する

1 「Face IDをセットアップ」をタップ

画面のロックを顔認証で解除できるようにするには、「設定」→「Face IDとパスコード」→「Face IDをセットアップ」をタップする。

2 枠内で顔を動かしてスキャンする

枠内に顔を合わせつつ、頭を回して顔のすべての角度を読み取る

「開始」をタップし、画面の指示に従いゆっくり頭を動かして2回スキャンする。スキャン終了後にパスコードを登録すれば、設定が完了する。

Touch IDを設定する

1 「指紋を追加」をタップする

画面のロックを指紋認証で解除できるようにするには、「設定」→「Touch IDとパスコード」→「指紋を追加」をタップ。

2 センサーに指を置いて指紋を登録

指を当てて離す動作を繰り返す

画面の指示に従い、トップボタンもしくはホームボタンに指を置いて指紋を登録。その後も指示に従い、パスコードを登録すれば設定が完了する。

パスコードを設定する

1 「パスコードをオンにする」をタップ

Face IDやTouch IDを使わずパスコードでロック解除したい場合は、「設定」→「Face（Touch）IDとパスコード」で、「パスコードをオンにする」をタップ。

2 6桁の数字でパスコードを設定

6桁の数字を2回入力する

6桁の数字を入力してパスコードを設定する。「パスコードオプション」をタップすれば、数字4桁にしたり英数字を混在させたパスコードの設定も可能だ。

使いこなしヒント

認証ミスを防ぎ素早くロック解除できる設定

注視を不要にする

「設定」→「Face IDとパスコード」→「Face IDを使用するには注視が必要」をオフにすれば、画面を見つめなくても素早くロックを解除できる。ただし、安全性は低下するので要注意。

同じ指紋を複数登録

指紋の認証ミスが多いなら、「設定」→「Touch IDとパスコード」→「指紋を追加」で、同じ指の指紋を複数追加しておけば、認証精度がアップする。

パスコードを4桁に

パスコード設定時に「パスコードオプション」をタップすると、素早く入力できるよう4桁の数字に減らせる。

iPadの大切なデータを保存しておける
iCloudでさまざまなデータを同期&バックアップする

「iCloud（アイクラウド）」とは、Appleが提供する無料のクラウドサービスだ。
iPad内のデータが自動でバックアップされ、いざという時に元通り復元できるので、機能を有効にしておこう。

iPadのデータを守る重要なサービス

Apple IDを作成すると、Appleのクラウドサービス「iCloud」を、無料で5GBまで利用できる。iCloudの役割は大きく2つ。標準アプリなどの「同期」と、「iCloudバックアップ」の作成だ。設定でApple IDを開いて「iCloud」をタップすると、「写真」「iCloudメール」などのアプリが一覧表示される。これらのスイッチをオンにしておくと、アプリのデータがiCloudと同期する。つまり、iPadで撮影した写真や送受信したメールが、自動的にiCloudにも保存される、実質的なバックアップとして機能するのだ。iCloudに同期された写真やメールは、同じApple IDでサインインした他のiPhoneやMacからも利用できる。また、本体の設定や同期できないその他のアプリのデータは、「iCloudバックアップ」機能によって定期的にバックアップできる。iPadを初期化したり機種変更した時は、作成したiCloudバックアップから復元すれば本体の設定やその他のアプリが元に戻り、同じApple IDでサインインして同期を有効にするだけで標準アプリなどのデータも元通りになる。

iCloudの役割を理解しよう

iCloudの設定画面

「設定」の一番上に表示されるユーザー名（Apple ID）をタップし、続けて「iCloud」→「すべてを表示」をタップすると、iCloudで同期するアプリや機能をオン・オフできる。

スイッチをオンにして各アプリや機能をiCloudと同期する。「写真」を有効にすると（P075で解説）、撮影した写真やビデオでiCloudの容量を消費して、無料で使える5GBでは不足する場合が多いので注意しよう。写真以外は、「iCloudバックアップ」を含めてオンにしておくのがオススメ。

iCloudで同期できるアプリや機能

「iCloud バックアップ」の役割：「iCloudバックアップ」は本体の設定や、ホーム画面の構成、同期できないその他のアプリデータなどを、iCloudにバックアップするための機能なので、必ずオンにしておこう。バックアップは、iPadが電源とWi-Fi（5G対応のセルラーモデルはモバイル通信接続時でもOK）に接続され、画面がロックされている時に自動で作成される。またiCloudバックアップの対象にするアプリは、「iCloud」→「アカウントのストレージを管理」→「バックアップ」→「このiPad」で選択できる。

 写真
iPadで撮影した写真やビデオをiCloud写真で同期できる。

 iCloudメール
iCloudメール（○○@icloud.com）の送受信メールを同期できる。

 連絡先
連絡先データを同期できる。削除した連絡先の復元も可能（P066参照）。

 iCloudカレンダー
スケジュールを作成／同期し、他の端末からも常に最新の予定を確認できる。

 リマインダー
覚えておきたいタスクを作成し、他の端末と同期できる。

 メモ
テキストや手書きでメモを作成し、他の端末と同期して編集できる。

 メッセージ
他の端末と、全く同じ状態の送受信画面を同期して利用できる。

 ウォレット
保存した支払い方法とチケット類を簡単に再認証できるようにする。

 Safari
ブックマークを同期したり、iPhoneやMacで開いているタブも同期できる。

 ヘルスケア
服薬、月経周期、iPhoneやApple Watchでの運動や睡眠記録を同期。

 フリーボード
作成したり他のユーザーと共有したフリーボードを同期する。

 Game Center
対応ゲームアプリでスコアの記録、共有やオンライン対戦を行える。

 Siri
Siriがデバイスやアプリの使用状況から学習したデータを同期する。

 パスワードとキーチェーン
WebサービスのログインIDやクレジットカード情報などを共有できる。

 iCloud Drive
iCloud Driveと連携するアプリの書類を保存して同期する。

……など

iCloudでデータを保存するための設定と復元手順

1 | アプリの同期をオンにしておく

> iCloudの容量が許す限りすべて同期しておいた方が安心。ただし「同期」はすべてのデバイスを常に最新の状態に保つ機能なので、例えば同期しているメモをiPadで削除すると、iCloudや同じApple IDを使ったiPhoneやMacからも、そのメモが削除されてしまう点に注意しよう

P038で解説しているように、iCloudの設定画面で「写真」や「iCloudメール」などのスイッチをオンにしておけば同期が有効になる。iPadで撮影した写真や送受信したメールは自動的にiCloudに保存され、実質的なバックアップになる。

2 | iCloudバックアップを有効にする

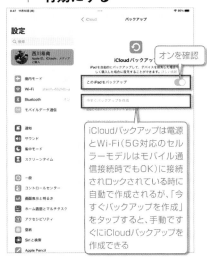

> オンを確認

> iCloudバックアップは電源とWi-Fi（5G対応のセルラーモデルはモバイル通信接続時でもOK）に接続されロックされている時に自動で作成されるが、「今すぐバックアップを作成」をタップすると、手動ですぐにiCloudバックアップを作成できる

本体の設定やホーム画面の構成、またiCloudとの同期に対応していないその他のアプリのデータをバックアップするには、iCloudの設定画面にある「iCloudバックアップ」のスイッチをオンにしておく。

3 | iCloudバックアップの対象にするアプリを選択

> iCloudの空き容量が足りずバックアップの作成エラーが表示されたら、この画面を確認してみよう。サイズが大きすぎるアプリや、iPadで撮影した写真やビデオをバックアップする「写真ライブラリ」をオフにすると、iCloudバックアップのサイズを減らせる。なお、調子が悪いiPadを初期化したり機種変更する際は、「新しいiPadの準備」機能を使うことで、iCloudの空き容量が足りなくても、一時的にすべてのアプリやデータ、設定を含めたiCloudバックアップを作成できる（P111で解説）

iCloudの設定画面で「アカウントのストレージを管理」→「バックアップ」→「このiPad」をタップすると、iCloudバックアップに含めるアプリを選択できる。オンにしたアプリは、復元時にアプリ内のデータも復元される。

4 | バックアップからiPadを復元する

> 復元するiCloudバックアップデータを選択

iPadを初期化したり機種変更した際は、初期設定の「アプリとデータを転送」画面で「iCloudバックアップから」をタップし、復元したい日時のiCloudバックアップを選択すると、その時点の状態にiPadを復元できる。

5 | バックアップから復元中の画面

> ホーム画面のフォルダ構成なども元通りになる。アプリによっては、再ログインが必要な場合もある

iCloudバックアップから復元すると、このように、バックアップ時点のアプリが再インストールされていく。同期を有効にしていたSafariやメッセージなどのアプリも、自動的にiCloud上のデータと同期して最新の状態に復元される。

○ POINT

Webブラウザでicloud.comにアクセスする

同期を有効にした標準アプリのデータは、パソコンのWebブラウザでiCloud.com（https://www.icloud.com/）にアクセスして確認することもできる。メールや連絡先、カレンダー、写真などの項目をクリックすると、iPadとまったく同じ内容で表示されるはずだ。また連絡先の復元やカレンダーの復元など、iCloud.com上でのみ行える操作もある。

iPadスタートガイド

○ POINT

iCloudの容量を追加で購入する

iCloudを無料で使えるのは5GBまでだが、アプリの同期やiCloudバックアップの作成には十分足りる容量となっている。ただし、写真やビデオをよく撮影していてすべてiCloudで同期している場合や、同じApple IDで使っているデバイスが複数ありiCloudバックアップも複数保存されていると、5GBでは足りなくなってくる。どうしてもiCloudの容量が足りない時は、容量を追加で購入（月額130円から）しよう。iCloud容量を購入すると、自動的に「iCloud＋」にアップグレードされ、「メールを非公開」などいくつかの追加機能も使えるようになる。

> 「アカウントのストレージを管理」→「ストレージプランを変更」をタップ。50GB／月額130円、200GB／月額400円、2TB／月額1,300円、6TB／月額3,900円、12TB／月額7,900円のプランが用意されている

文字入力の基本操作法

キーボードの使い方を覚えて自由自在に文字を入力しよう

操作に慣れてしまえばiPadの文字入力は快適!

iPadでの文字入力は、画面下部に表示されるソフトウェアキーボードで行う。日本語入力用のキーボードとしては、五十音表で文字入力を行う「日本語-かな」と、パソコンのキーボードに近い「日本語-ローマ字」の2種類が用意されている。さらに「絵文字」キーボードや「英語」キーボードも用意されており、これらのキーボードを自由に切り替えて入力することが可能だ。なお、初期状態ではiPadの初期設定(P006参照)で選択したキーボードのみが利用できる。使いたいキーボードがあれば「設定」から追加しておこう(P041参照)。

文字入力 01 キーボードの基本操作

標準キーボードの種類を知っておこう

iPadに用意されている標準キーボードは、右でまとめている4種類。各キーボードは文字入力中に切り替えて使うことになる。基本的には「日本語-かな」か「日本語-ローマ字」のどちらか好きな方をメインのキーボードとして利用することが多い。なお、キーボードを利用せずに音声で文字入力することも可能だ。

音声入力を利用するには

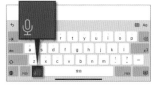

マイクボタンをタップすると音声入力できる。キーボードも同時に利用可能だ。

iPadに搭載された4つの標準キーボード

● 日本語-かな

→P042へ

五十音表で日本語やアルファベットなどを入力できる。パソコンのキーボードに慣れていない人に向いている入力形式だ。

● 日本語-ローマ字

→P044へ

パソコンとほぼ同じキー配置のキーボードで日本語をローマ字入力できる。アルファベットや数字、記号も入力が可能となっている。

● 絵文字

→P046へ

iPadOSとiOS独自の絵文字を入力できる。さまざまな種類が用意されており、メッセージやメール、LINEなどのやりとりで利用可能だ。

● 英語(日本)

→P046へ

パソコンと同じキーボードでアルファベットや数字、記号を半角もしくは全角文字で入力できる。頻繁に英語を入力する人向けのキーボード。

キーボードの表示/非表示

1 キーボードを表示する

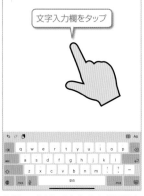

文字入力欄をタップ

各種アプリ上で文字入力が可能な場所をタップすると、キーボードが画面下に表示される。

2 キーボードを非表示にする

キーボードが非表示に

キーボードの画面右下にある「キーボード非表示キー」をタップすれば、いつでもキーボードを隠すことが可能だ。

キーボードの種類を切り替える

1 地球儀キーなどで切り替えできる

地球儀キーをタップするとキーボードの種類が順番に切り替わる。「abc」「あいう」などのキーをタップして切り替えてもよい。

2 ロングタップでも切り替え可能

キーボード設定...
日本語かな
日本語ローマ字
絵文字
English (Japan)
ロングタップして一覧表示

地球儀キーをロングタップすると、キーボードが一覧表示される。キーボード名をタップすれば、そのキーボードに直接切り替え可能だ。

利用するキーボードを設定しておこう

iPadでは、標準で用意された4つのキーボードをすべて使う必要はない。設定で不要なキーボードを削除し、必要なキーボードだけを追加しておくのがオススメだ。利用できるキーボード数が少なければ、より少ないタップ数でキーボードを切り替えでき、文字入力も快適になる。なお、キーボードは一度削除してもあとでまた追加し直せるので覚えておこう。

キーボードの追加と削除／キーボードの並べ替え

1 「新しいキーボードを追加」をタップする

新しいキーボードを追加するには、「設定」→「一般」→「キーボード」→「キーボード」を開き「新しいキーボードを追加」をタップ。

2 キーボード名をタップして追加する

追加したいキーボードをタップ

使いたいキーボード名をタップしていけば追加できる。日本語環境向けのキーボードは、「推奨キーボード」として上部にまとまっている。

3 不要なキーボードを削除する

編集

「−」をタップして「削除」をタップ

使わないキーボードは、キーボード一覧画面で「編集」をタップすれば削除できる。一度削除しても、また追加し直すことが可能だ。

4 キーボードの表示順を変更する

キーボード名右端の三本線ボタンをドラッグすれば、表示順を変更できる

地球儀キーでキーボードを切り替える際の表示順も、キーボード一覧画面の「編集」から変更できる。自分で使いやすい順に並べよう。

他社製キーボードも導入できる

iPadOSでは、標準キーボードだけでなく、他社製キーボードアプリも利用することができる。まずはApp Storeで「Gboad」や「ATOK」、「mazec」といった他社製キーボードアプリを入手してインストールしよう。あとは各アプリの説明に従って「設定」からキーボードを追加する。

❶ キーボードを追加
App Storeから他社製キーボードを導入後、設定でキーボードを追加。

❷ フルアクセスを許可
キーボードの全機能を使うにはフルアクセスも許可しておく。

❸ キーボードを切り替える
導入後は、キーボード上の地球儀キーで切り替えが可能だ。

日本語入力の基本的な手順を覚えよう

キーボードで文字を入力するには、キーボードの上の各種キーをタップしていけばいい。日本語入力時は、まずひらがなが一時的に入力され、キーボード上部に漢字などの予測変換候補が表示される。変換候補をタップすれば変換が確定され、実際に文字が入力されるという仕組みだ。詳しい操作方法は次ページから解説するが、まずはここで基本の手順を覚えておこう。

日本語入力と変換の基本操作

1 入力したい場所をタップ

タップ

キーボードで文字を入力

文字入力を行う場合は、入力したい場所をタップしよう。すると文字入力位置にカーソルが表示され、画面下にキーボードも表示される。

2 文字入力して変換候補を選択

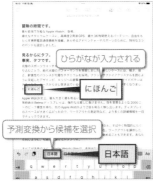

ひらがなが入力される

にほんご

予測変換から候補を選択

日本語

キーボードのキーをタップして日本語を入力すると、カーソル位置にひらがなが入力され、キーボードの上部には予測変換が一覧表示される。

3 文字変換を確定する

変換が確定される

日本語

さらに予測変換が表示される

予測変換から候補をタップすると変換が確定される。なお、予測変換機能は次に入力されるものを予測して、さらに候補を表示してくれる。

4 変換候補を一覧表示する場合

左右スワイプでスクロール

変換候補が一覧表示される

変換候補は左右にスワイプすれば、別の候補を表示できる。変換候補一覧の右端にある「∧」キーでさらに変換候補を表示することも可能。

iPadスタートガイド

02 「日本語-かな」キーボードでの入力方法

初心者向きの わかりやすいキーボード

日本語-かなキーボードでは、五十音表のように文字が並び、入力したい文字をすぐ探せるというわかりやすさがある。パソコンのキーボードに慣れていない人やローマ字入力が苦手な人でも、日本語や英語、数字・記号を快適に入力することが可能だ。

日本語-かなキーボードの各種キーについて

	☆123	「」	わ	ら	や	ま	は	な	た	さ	か	あ	⬅
	ABC	？	を	り		み	ひ	に	ち	し	き	い	空白
	あいう	！	ん	る	ゆ	む	ふ	ぬ	つ	す	く	う	改行
	🎤	、	ー	れ		め	へ	ね	て	せ	け	え	
	🌐	。	゜゛	ろ	よ	も	ほ	の	と	そ	こ	お	⌨

1 各種文字キー
タップして文字を入力する。入力モードによって入力できる内容が変わる。

2 入力モード切り替え
入力する文字種を切り替える。「あいう」なら日本語、「ABC」ならアルファベット、「☆123」なら数字と記号用のキーボードに切り替わる。

3 音声入力
タップすると音声による文字入力が行える。

4 キーボード切り替え
タップで別のキーボードに切り替える。ロングタップするとすべてのキーボードがリスト表示され、直接切り替えが可能。

5 削除キー
カーソル位置より左側にある1文字を削除する。

6 空白／次候補キー
全角スペースを入力する。日本語入力後は次候補キーに変わり、予測変換の次候補を選択できる。

7 改行／確定キー
改行する。日本語入力後は確定キーに変わり、現在選択している変換候補を確定する。

8 キーボードの非表示
キーボードを非表示にする。キーボードの裏に隠れてしまったボタンなどを押したい時に便利。文字入力欄をタップすれば再度キーボードが表示される。

3つの入力モードで文字を入力

あいう 「あいう」キー 日本語入力モード

日本語入力時に利用するモード。キートップにひらがなが表示され、タップすることで日本語を入力できる。

ABC 「ABC」キー 英語入力モード

アルファベットやよく使う記号を入力するモード。大文字小文字の切り替えや全角文字にも対応している。

☆123 「☆123」キー 数字・記号入力モード

数字や記号を入力するモード。年、日、分など日時を示す漢字もすぐ入力できる。顔文字も入力可能だ。

日本語-かなキーボードの基本的な使い方

日本語-かなキーボードでは、各文字キーをタップすれば、キー上に書かれている文字がそのまま入力される。文字入力が行われると、キーボードの上部に漢字などの予測変換候補が表示されるので、タップして変換を確定させよう。また、上で解説した3つの入力モードを切り替えて使えば、アルファベットや記号・数字なども自由自在に入力することができる。

キーボード入力の流れ

1 文字キーをタップして文字入力

入力したい文字をタップ

あかいはな

表示された文字キーをタップすれば、キー上に表示された文字が入力される。

2 変換を確定させる

タップ

「次候補」で候補を選んで確定してもOK

赤い花

文字を入力すると、キーボード上部に予測変換の候補が表示される。タップして変換を確定させよう。

3 入力する文字種を切り替える

タップ

赤い花 flower

左端の「あいう」「ABC」「☆123」キーをタップすれば、それぞれに対応した入力モードに切り替わる。

日本語入力時に覚えておきたい操作法

日本語-かなキーボードで日本語を入力する際は、さまざまなキーを使いこなす必要がある。「っ」や「ぉ」などの小書き文字や、「ば」や「ぷ」などの濁点・半濁点を入力する方法も知っておこう。

慣れてきたら、各種キーのロングタップやフリック操作での入力を併用すれば、よりスムーズな文字入力が実現可能だ。しっかり身につけてキーボード操作をマスターしよう。

小書き文字や濁点、半濁点の入力

文字入力後に「小」キーをタップ

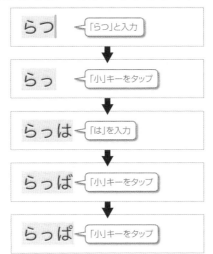

らつ ←「らつ」と入力
らっ ←「小」キーをタップ
らっは ←「は」を入力
らっば ←「小」キーをタップ
らっぱ ←「小」キーをタップ

上で示した「小」キーで、直前に入力した文字を小書き文字にしたり、濁点や半濁点付きに変換することが可能だ。たとえば、「つ」を入力した後にこのキーを押すと「っ」になる。また、「は」を入力した後にこのキーを押せば「ば」になり、もう一度押すと「ぱ」に切り替わる。

句読点や感嘆符、カギ括弧の入力

句読点や括弧の入力はここから

。、！？「

左で示した一連のキーをタップすると、句読点や感嘆符、疑問符、カギ括弧を入力できる。カギ括弧のキーは、一度タップすると左括弧、二度連続でタップすると右括弧の入力となるので覚えておこう。

別の括弧を入力する

カギ括弧キーをタップすると、予測変換候補に別種類の括弧が表示される。そのほかの括弧はここから入力しよう。

ロングタップ／フリック操作での入力

ロングタップで小書き文字や濁音を入力

一部のキーでは、ロングタップすることで関連する文字（小書き文字／濁音／半濁音など）が表示される。キーをロングタップした後、上下左右に展開される文字に指をスライドして入力しよう。

フリック入力ならさらに素早く入力可能

ロングタップ入力の応用がフリック入力だ。たとえば、「ふ」をはじくようににフリックすると「ぶ」を入力できる。「小」キーをいちいち押すよりもスピーディに入力できるので覚えておこう。

カタカナの入力方法

直接入力できないものは変換で入力

カタカナの入力は、一旦ひらがなの状態で文字を入力し、変換候補からカタカナを選んで確定すればよい。ほかに、キーボード上では直接入力できないような文字も変換を使えば自在に入力できる。

英語や数字・記号入力時に覚えておきたい操作法

アルファベットを入力する際は「ABC」キーで英語入力モード、数字や記号を入力する際は「☆123」キーで数字・記号入力モードに切り替えよう。これらのモードでは、シフトキーや全角キーといった特殊なキーが存在する。シフトキーは大文字アルファベットやそのほかの記号の入力に、全角キーは全角文字の入力に使うので覚えておこう。

大文字アルファベット／全角文字の入力

1 シフトキーを利用する

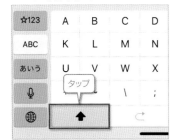

Abcdefg

「ABC」キーで英語入力モード切り替えたら、シフトキーをタップ。文字キーをタップすると、直後の1文字だけが大文字になる。

2 ダブルタップでシフトキーの固定

ABCDEFG

シフトキーをダブルタップすると、再びシフトキーを押さない限り解除されない。そのため、連続した大文字の入力が可能になる。

3 全角キーで全角文字の入力

ＡＢＣＤＥＦＧ

英語入力／数字・記号入力モードに用意されている、全角キーをタップすると、それ以降の文字入力がすべて全角文字になる。

顔文字を入力する

数字・記号入力モードのキーボードにある顔文字キーをタップすると、予測変換候補によく使われる顔文字が表示される。顔文字をよく使う人は利用しよう。

予測変換候補に顔文字が表示される

03 「日本語-ローマ字」キーボードでの入力方法

パソコンのキーボードと同じ感覚で使える

日本語-ローマ字キーボードでは、フルキーボード上で日本語入力を行える。パソコンのキーボード操作と同じようにローマ字入力ができるので、慣れている人はスピーディに文字を入力できるだろう。入力モードを切り替えれば、英語や数字記号も入力可能だ。

日本語-ローマ字キーボードの各種キーについて

1 各種文字キー
タップして文字を入力する。キートップに小さな文字が書かれたキーは、下フリックで入力できる。

2 音声入力
音声で文字を入力する。

3 空白／次候補キー
全角スペースを入力する。日本語入力後は次候補キーに変わる。

4 タブキー
入力エリアを切り替えたり文字の先頭を揃える。

5 英語／日本語入力モードの切り替え
タップするごとに英語入力と日本語入力のモードを切り替える。

6 シフトキー
大文字のアルファベットや別の文字種に切り替え。

7 キーボード切り替え
別のキーボードに切り替える。

8 削除キー
カーソル位置より左側にある1文字を削除する。

9 改行／確定キー
改行する。日本語入力後は確定キーに変わり、現在選択している変換候補を確定する。

10 数字・記号入力モードの切り替え
タップすると数字・記号入力モードに切り替わる。

11 キーボードの非表示
キーボードを非表示にする。キーボードの裏に隠れてしまったボタンなどを押したい時に便利。文字入力欄をタップすれば再度キーボードが表示される。

3つの入力モードで文字を入力

「あいう」キー　日本語入力モード

日本語入力時に利用するモード。ローマ字入力で日本語を入力することができる。

「abc」キー　英語入力モード

アルファベットやよく使う記号を入力するモード。大文字小文字の切り替えや全角文字にも対応している。

「123」キー　数字・記号入力モード

数字や記号を入力するモード。日本語入力用と英語入力用の2種類のモードが用意されている。

各入力モードの切り替えについて

2つの切り替えキーを使いこなす

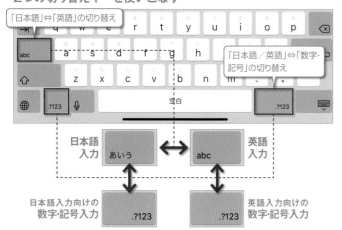

「日本語」⇔「英語」の切り替え

「日本語／英語」⇔「数字・記号」の切り替え

日本語入力　あいう ↔ abc　英語入力

日本語入力向けの数字・記号入力　.?123　　.?123　英語入力向けの数字・記号入力

日本語入力と英語入力の切り替えはキーボード左のキーで行い、数字・記号入力の切り替えは下部のキーで行う。それぞれの役割を覚えれば、日本語やアルファベット、数字・記号のすべての文字種が入力可能だ。

数字・記号入力モードのシフトキーについて

「#+=」キーでさらに別の記号が入力できる

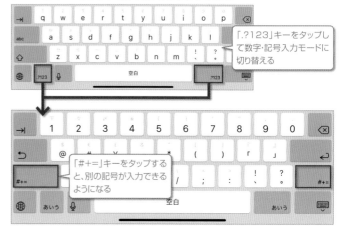

「.?123」キーをタップして数字・記号入力モードに切り替える

「#+=」キーをタップすると、別の記号が入力できるようになる

数字・記号入力モードに切り替えると、シフトキーなどが「#+=」キーに変化する。このキーをタップすると、さらに別の記号が入力可能だ。なお、日本語入力用と英語入力用では入力できる文字が異なっている。

日本語-ローマ字キーボードの基本的な使い方

日本語-ローマ字キーボードでは、ローマ字入力で日本語を入力できる。たとえば「にほんご」と入力したい場合は、「nihongo」と文字キーをタップしていけばよい。変換の方法は日本語-かなキーボードと同じで、変換候補から選んでタップすればOKだ。また、アルファベットや数字・記号を入力したい場合は、「abc」や「.?123」キーでモードを切り替えよう。

キーボード入力の流れ

1 ローマ字で文字を入力

ローマ字で日本語を入力

にほんごにゅうりょく

日本語入力モードでは、「nihongo」のようにローマ字表記でキーをタップし文字を入力する。

2 変換を確定させる

タップ

「次候補」で候補を選んで確定してもOK

日本語入力

文字入力されると、キーボード上部に予測変換の候補が表示される。タップして変換を確定しよう。

3 入力する文字種を切り替える

タップ

日本語入力 Japanese

英語を入力したい場合は、「abc」キーを押して英語入力モードに切り替えよう。

句読点や感嘆符の入力

シフトキーで感嘆符も入力可能

「!」「?」はシフトキーを押してから入力

、。！？

句読点はキーボード右下にある「、」「。」キーを押せば入力できる。シフトキーを押すことで「！」「？」も同じキーで入力することが可能だ。

各種括弧の入力

予測変換も使ってさまざまな括弧を入力

予測変換候補に別の種類の括弧が表示される

「」（）

丸括弧やカギ括弧は、数字・記号入力モードで行う。各括弧のキーを押すと、予測変換候補に別の種類も表示されるので活用しよう。

下フリックで数字や記号を入力

モードを切り替えずに入力できる

キーを下方向にフリック

1234@#¥-

キートップの上部に書かれている小さな文字は、下方向にフリックすることで入力ができる。モードを切り替えずに数字や記号を入力したいときに便利。

英語や数字・記号入力時に覚えておきたい操作法

アルファベットを入力する際は英語入力モード、数字や記号を入力する際は数字・記号入力モードに切り替えよう。シフトキー、全角キー、顔文字キーなどの操作は、日本語-かなキーボードと同様だ。さらに、「取り消す」「やり直す」といったキーも用意されているので、必要に応じて利用しよう。

大文字アルファベット／全角文字／顔文字の入力

1 ダブルタップでシフトキーの固定

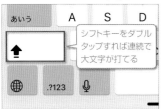

シフトキーをダブルタップすれば連続で大文字が打てる

ABCDEFG

大文字アルファベットの入力方法は、日本語-かなキーボードと同様だ。シフトキーをタップすると、直後に入力した1文字だけが大文字になる。ダブルタップするとシフトキーが固定され、大文字を連続して入力することができる。

2 全角キーで全角文字の入力

タップ

Ａｂｃｄｅｆｇ

英語入力／数字・記号入力モードに用意されている全角キーをタップすると、それ以降の文字入力がすべて全角文字になる。日本語入力モードで、文字キーをロングタップして上部に表示される「全」キーを選択してもよい。

3 顔文字の入力は顔文字キーで

^_^ ^^ ^^ ^_^

日本語入力向けの数字・記号入力モードに切り替えると、キーボードの左下に顔文字キーが用意されている。これをタップすれば、予測変換候補によく使われる顔文字が表示される。顔文字をよく使う人は利用しよう。

「取り消す」「やり直す」キーとは？

数字・記号入力モードには、「取り消す」「やり直す」キーが用意されている。直前の入力を取り消したり、入力をやり直すことが可能だ。

「#+=」と「123」キーで切り替えできる

04 絵文字&英語キーボードでの入力方法

そのほかのキーボードも使ってみよう

絵文字キーボードでは、iOSおよびiPadOS独自の絵文字が入力できる。顔や手など一部の絵文字はロングタップして肌の色を変更することも可能だ。英語キーボードは、英文を頻繁に入力する人向けのキーボードとなる。日本語-かな／日本語-ローマ字キーボードでのアルファベット入力に不満がなければ使わなくてもいい。

絵文字キーボードの各種キーについて

1 各種文字キー
タップして絵文字を入力する。左右スワイプでほかの絵文字候補を表示できる。

2 カテゴリ切り替え
絵文字のカテゴリを切り替える。左右スワイプでほかの絵文字候補を表示できる。

3 よく使う絵文字
よく使う絵文字を表示する。

4 絵文字を検索
タップすると絵文字をキーワード検索できる。

5 キーボード切り替え
タップで別のキーボードに切り替える。

6 空白キー
タップで空白を挿入する。

7 削除キー
カーソル位置より左側にある1文字を削除。

8 キーボードの非表示
キーボードを非表示にする。

英語（日本）キーボードの各種キーについて

1 各種文字キー
タップして文字を入力。

2 音声入力
タップすると音声による文字入力が行える。

3 タブキー
入力エリアを切り替えたり文字の先頭を揃える。

4 入力モード切り替え
日本語や数字・記号入力モードに切り替える。

5 シフトキー
大文字のアルファベットや別の文字種に切り替える。

6 キーボード切り替え
別のキーボードに切り替える。

7 スペースキー
半角スペースを入力。

8 削除キー
左側にある1文字を削除。

9 リターンキー
改行する。

10 キーボードの非表示
キーボードを非表示にする。

05 キーボードの便利機能を利用する

トラックパッドモードとショートカットを使う

iPadのキーボードでは、ノートパソコンのトラックパッドのように操作できる「トラックパッドモード」が搭載されている。このモードでは、キーボード部分を2本指でタッチすることにより、カーソル移動や選択範囲が自由自在に行えるようになる。また、やり直しやコピーといったよく使う機能は、キーボード上部のショートカットボタンからも呼び出せるので覚えておこう。

トラックパッドモードとショートカットボタンの使い方

1 | 2本指でタッチしてカーソル移動

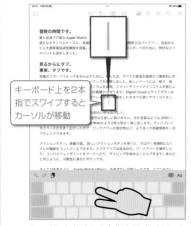

キーボード上を2本指でスワイプするとカーソルが移動

キーボード部分に2本指を置くとトラックパッドモードに切り替わる。2本指をそのまま動かせば、自在にカーソル移動が可能だ。

2 | 2本指で範囲選択もできる

2本指をしばらくキーボードに乗せると範囲選択も可能

2本指でキーボード部分にしばらく触れていると、カーソルの形が変わって、スワイプ操作での選択範囲が可能になる。

3 | ショートカットで機能を呼び出す

キーボード上部には、ショートカットボタンが用意されている。やり直しやコピーなど、よく使う機能をボタンで呼び出すことが可能だ。

キーボードを分割することも可能

ホームボタンのあるiPadのみ、キーボード非表示キーをロングタップして「分割」でキーボードを左右に分割できる。キーボード非表示キーをロングタップ→「固定して分割解除」で元に戻る。

固定解除

分割

フローティング

キーボードが左右に分割

文字入力

06 入力した文字の編集方法

文字の各種編集方法を覚えておこう

各種キーボードの使い方を理解したら、入力した文字の基本的な編集方法も把握しておこう。iPadでは、文字をタップしたり、ダブルタップしたりすると、カーソルの上に「選択」や「コピー」、「ペースト」などの各種編集メニューが表示されるようになっている。これを利用することで、パソコンと同じようにコピー&ペーストや範囲選択などの編集作業が可能だ。

文字の範囲選択やコピー&ペーストなどを行う

1 | タップでカーソル挿入

文字部分を軽くタップすると、その場所に「｜」マークでカーソルが表示される。文字の挿入や削除はこの位置で行われる。

2 | カーソルをドラッグで移動

表示されるカーソルをドラッグすると、カーソルを自由な位置に移動できる。カーソル挿入部分も上部に拡大表示されるので移動箇所が分かりやすい。

3 | メニューの表示

カーソル位置をタップすると、カーソル上部に「選択」や「すべてを選択」などのメニューが表示される。

4 | 選択範囲の設定

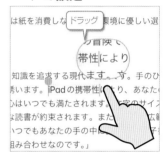

メニューから「選択」もしくは「すべてを選択」を選ぶと、選択範囲が表示される。左右端のカーソルをドラッグして範囲を調整しよう。

5 | 文字をカットもしくはコピーする

範囲選択を行うと、「カット」「コピー」などのメニューが表示される。文字のカットやコピーを実行したい場合は各項目をタップ。

6 | 文字をペーストする

「カット」、「コピー」した後にカーソル位置を指定し直すと、メニューに「ペースト」が表示される。これで文字の複製や切り貼りが可能だ。

7 | 編集の取り消し

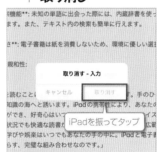

編集作業を1段階前の状態に戻したい場合は、3本指で左にスワイプするか、iPad本体を振れば取り消しメニューが表示される。

8 | 単語の選択と選択文字の削除

文字をダブルタップすると、単語だけを範囲選択できる。また、文字を選択中に削除キーをタップすれば、選択中の文字を削除可能だ。

9 | 複数回タップで段落や文章を選択

文字を3回タップすると段落がまとめて選択される。また2本指で2回タップすると、カーソル位置を含む句点（。）までの一文が範囲選択される。

10 | 確定した文字を再変換する

確定後に見つけた誤字は、一度削除して入力し直さなくても、誤字部分を選択状態にするだけで、変換候補から選んで変換し直せる。

11 | ドラッグ&ドロップで文章を移動する

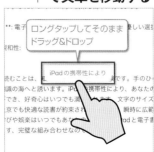

テキストを選択してロングタップすると、テキストが浮かび上がる。そのままドラッグ&ドロップすれば、好きな位置に移動できる。

12 | 長文の途中で一度変換させる

長文を入力していておかしな変換になった時は、変換を区切りたい箇所にカーソルを合わせると、その位置までをひとつの文として先に変換できる。

スムーズに操作するために!
まずは覚えておきたい操作&設定ポイント

iPadを本格的に使い始める前に
覚えておきたい操作や、
確認したい設定項目をまとめて紹介。
ストレスなく操作するために、
ぜひ最初にチェックしておこう。

---

03 | 自動ロックするまでの時間を設定する

短すぎると使い勝手が悪い

セキュリティと利便性のバランスを考慮する

iPadは一定時間タッチパネル操作を行わないと、画面が消灯し自動でロックされてしまう。ロックされるまでの時間は、標準の2分から変更可能。すぐにロックされて不便だと感じる場合は、長めに設定しよう。なお、Face ID搭載iPadでは、画面への視線が認識されている限りスリープに移行しない。この機能が不要なら、「設定」→「Face IDとパスコード」で「画面注視認識機能」をオフにしよう。

「設定」→「画面表示と明るさ」→「自動ロック」で時間を選択

---

01 | 画面を縦向きや横向きに固定する

勝手に回転しないように

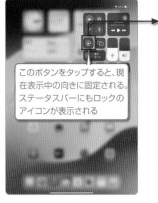

画面の向きを固定中

このボタンをタップすると、現在表示中の向きに固定される。ステータスバーにもロックのアイコンが表示される

寝転んで画面を見るときなどは固定する

iPadは、内蔵センサーによって本体の向きを感知し、それに合わせて画面の向きも自動で回転する。寝転がってWebや動画を見る際など、画面が回転してわずらわしい場合は、コントロールセンターの「画面の向きのロック」で、画面の向きを固定しよう。

---

04 | 画面の一番上へワンタップで移動する

スクロールの手間を省く操作法

ステータスバーをタップしよう

メールや設定、ミュージック、X（旧Twitter）、ニュースアプリなどで、画面をどんどん下へ読み進めた後、ページの一番上へ戻りたい時は、ス

ワイプやフリックを繰り返す必要はなく、ステータスバーをタップするだけでよい。それだけで即座にページの一番上に画面がスクロールする。縦にスクロールするほとんどのアプリで利用できる操作法なので覚えておこう。

ここをタップするだけで画面の一番上へスクロール。Safariの場合は、検索フィールドが表示されるので、もう一度タップしよう

---

02 | キーボードの操作音をオフにする

打鍵音が気になるならオフに

「設定」→「サウンド」でスイッチをオフに

標準では、キーボードで文字を入力するたびにカチカチ音が鳴り、公共の場などで気になる場合も多い。不要なら、あらかじめ「設定」→「サウンド」で「キーボードのクリック」のスイッチをオフにしておこう。なお、着信音／通知音の音量によってキーボードのクリック音もコントロールされるため、コントロールセンターで消音モードを有効にすれば、キーボードの音も消音となる。

キーボードのクリック

「設定」→「サウンド」で「キーボードのクリック」をオフにする

---

05 | 機内モードを利用する

航空機の出発前にオンにする

すべての通信を無効にする機能

飛行中の航空機内など、電波を発する機器の使用を禁止されている場所では、コントロールセンターで「機内モード」を有効にし通信を無効にしよう。現在は、ほとんどの飛行機でWi-FiおよびBluetoothの使用は許可されているので（念のため出発前に航空会社のサイトなどで確認しよう）、機内モードをオンにした上で、Wi-FiとBluetoothを有効にしよう。

飛行機のアイコンのボタンをタップして機能をオンに

06 Wi-Fiに接続する

パスワードaを入力するだけ

接続

パスワードを入力して「接続」をタップ。なお、アクセスポイント名が2つ表示され、5GHzと2.4GHzの2つの帯域で接続できる場合は、基本的には5GHzを選べばよい（P109で詳しく解説）

Wi-Fiの基本的な接続方法を確認

初期設定でWi-Fiに接続しておらず、後から設定する場合や、友人宅などでWi-Fiに接続する場合は、「設定」→「Wi-Fi」をタップし、続けて接続するアクセスポイント名（SSID）をタップ。後はパスワードを入力するだけでOKだ。一度接続したアクセスポイントには、以降基本的には自動で接続される。SSIDやパスワードは、Wi-Fiルータに貼ってあるシールに記載されていることが多い。

07 アプリをインストールする基本操作

まずは無料アプリを試してみよう

Apple ID取得済みなら App Storeを利用可能

iPadは「App Store」というアプリ配信ストアからさまざまなアプリをインストールして利用できる。初期設定などでApple IDを取得していれば、ホーム画面にある「App Store」アプリを起動してすぐにインストール可能だ。アプリの情報画面に「入手」というボタンが表示されているものは無料アプリなので、タップして試してみよう。App Storeの詳しい使い方はP068で解説している。

入手

タップしてApple IDの認証を済ませれば、すぐにインストールできる

08 アプリを素早く切り替える

画面下部を左右にスワイプする

画面下部を右へスワイプ

ホームボタンのあるiPadでは、画面下部で弧を描くようにスワイプすると同様の操作を行える

アプリを行き来して作業する際に助かる

ホームボタンのないフルディスプレイモデルのiPadでは、画面下部を右へスワイプするとひとつ前に使ったアプリを素早く表示可能。さらに右へスワイプして、過去に使ったアプリをさかのぼって表示可能だ。また、右へスワイプした後、すぐに左へスワイプすれば元のアプリに戻ることもできる。2つのアプリを何度も切り替えながら作業したい際は、アプリスイッチャーを使うよりもスムーズだ。

09 共有ボタンの使い方を覚える

情報の送信や投稿、保存に利用

多くのアプリで共通するボタン

多くのアプリに備わっている「共有ボタン」。タップすることで共有メニューを表示し、さまざまなアクションを選択できる。データのメール送信やSNSへの投稿、クラウドへの保存など、アプリによってメニューに表示されるアクションは異なるが、基本的には別のアプリにデータを受け渡すための機能だ。また、Safariの「ブックマークを追加」など、オプション機能がこのメニューに表示される場合もある。なお、メニューに表示されるアプリやアクションは編集可能だ。

Safariで共有ボタンをタップ。ほとんどのアプリの共有ボタンはこのデザインだ

共有メニューが表示。ブックマークへの追加やメール、メッセージ、AirDropによる送信など各種操作を行える。なお、よく使うアクションは上位に表示され、すぐに選択できるようになる

メニューの内容を編集する

共有メニューを表示し、アプリのリストの一番右の「その他」→「編集」で、表示するアプリを選択できる。また、アクションの一番下の「アクションを編集」で、表示するアクションを選択する

アクションの編集画面。「+」をタップで、「よく使う項目」に追加できる。また不要な項目は、スイッチをオフにしておこう

10 クイックアクションメニューを利用する

アプリをロングタップしてみよう

カメラアプリをロングタップし、「ポートレートセルフィー」や「ビデオ」などをワンタップで呼び出せる。メニューはアプリごとに異なる

アプリごとに表示メニューは異なる

ホーム画面やアプリライブラリのアプリをロングタップすると、クイックアクションメニューが表示される。ホーム画面の編集やアプリの削除の他、各アプリ固有の機能も素早く呼び出せる。また、ファイル管理アプリやクラウドアプリなど、iCloud Driveと連携できるアプリのクイックアクションメニューには、iCloud Driveの「最近使った項目」のファイルが表示され、すぐに開くことができる。

iPadスタートガイド

11 | Siriを利用する

iPadの優秀な秘書機能

Siriを有効にする

「設定」→「Siriと検索」で「トップ（ホーム）ボタンを押してSiriを使用」をオンにする。必要に応じてロック中の使用も許可しよう

電源ボタンを長押し

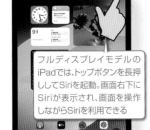

フルディスプレイモデルのiPadでは、トップボタンを長押ししてSiriを起動。画面右下にSiriが表示され、画面を操作しながらSiriを利用できる

ホームボタンを長押し

ホームボタンを搭載したiPadではホームボタンを長押ししてSiriを起動する

電源ボタンや
ホームボタンで起動

　iPadに話しかけることで、情報を調べたり、さまざまな操作を実行してくれる「Siri」。「今日の天気は?」や「ここから○○駅までの道順は?」、「○○をオンに」など多彩な操作をiPadにまかせることができる。Siriを起動するには、トップボタンを長押しする。ホームボタン搭載モデルではホームボタンを長押ししよう。まずは、「設定」→「Siriと検索」で「トップ（ホーム）ボタンを押してSiriを使用」をオンにしよう。また、「Hey Siri」機能を使えば、「Hey Siri」と呼びかけてSiriを起動することもできる。

「Hey Siri」で起動

"Hey Siri"を聞き取る

↓

「設定」→「Siriと検索」で「"Hey Siri"を聞き取る」をオンにし、自分の声を認識させると、「Hey Siri」と話しかけるだけでSiriを起動できるようになる

12 | iPadの残りの空き容量を確認する

アプリごとの使用サイズも確認できる

不要データの
削除も行える

　iPad内のストレージ利用状況は「設定」→「一般」→「iPadのストレージ」で詳細に確認できる。残りの容量が少ない場合は、「非使用のアプリを取り除く」や「"最近削除した項目"アルバム」をタップして、不要データを削除できる。また、アプリごとの使用容量も表示されるので、個別にチェックして不要なアプリやデータを削除していくこともできる。

音楽や動画、電子書籍の配信アプリが容量を使っている場合は、ダウンロードデータを削除するのがおすすめ

13 | 夜間は目に優しいダークモードにする

設定時間に自動切り替え可能

外観モードを「ダーク」に変更。一部の内蔵壁紙はダークモードに対応して暗いイメージに切り替わる

黒を基調とした
画面にチェンジ

　黒を基調とした画面で目に優しい「ダークモード」。「設定」→「画面表示と明るさ」の「外観モード」で「ダーク」を選べば、各種アプリの画面が黒ベースのデザインに変化する。「自動」をオンにしてスケジュールを設定すれば、時間によってライトモードとダークモードを自動で切り替えることも可能。なお、対応壁紙を選べば、ホーム画面もダークモードにすることができる。

14 | スクリーンショットを保存する

2つのボタンを同時に押す

加工や共有も
簡単に行える

　表示されている画面そのままを画像として保存できるスクリーンショット機能。トップボタンといずれかの音量調節ボタンを同時に押して撮影する。ホームボタン搭載モデルでは、トップボタンとホームボタンを同時に押して撮影する。撮影後、画面左下に表示されるサムネイルをタップすると、マークアップ機能での書き込みや各種共有を行うことができる。

2つのボタンを押すと、画面左下にサムネイルが表示。しばらく待つとそのまま「写真」アプリに保存される。タップすればマークアップや共有機能を利用できる

15 | iPadで写真を撮影する

シャッターをタップするだけ

カメラのモードが「写真」になっているかも確認しておこう

カメラアプリを
起動しよう

　iPadで写真を撮影する操作はとても簡単。まず「カメラ」アプリ（P070で詳しく解説）を起動し、被写体にレンズを向ける。基本的にはピントも露出も自動で調整されるので、後は画面右に大きく表示された白い丸のシャッターボタンをタップするだけだ。シャッター音が聞こえれば撮影完了。写真は「写真」アプリに保存されており、シャッター下のサムネイル画像をタップすればすぐに確認できる。

16 ホーム画面から呼び出せる検索機能を利用する

アプリ内も対象にキーワード検索

ホーム画面を下へスワイプする

ホーム画面の適当な箇所を下へスワイプして表示する検索機能。アプリやWebはもちろん、メールやメモ、連絡先のデータなど広範かつ多彩な対象をキーワード検索できる。検索フィールドに語句を入力するに従って、検索結果が絞り込まれていく仕組みだ。検索フィールドの下には、日頃の使い方や習慣を元に次に使うアプリや操作を提案してくれる「Siriからの提案」が表示される。

検索フィールドにキーワードを入力しよう。検索結果や「Siriからの提案」に表示したくないアプリは、「設定」→「Siriと検索」でアプリを選び、各スイッチをオフにしよう

17 表示される文字サイズを変更する

読みやすさと情報量を検討しよう

スライダで7段階に調整できる。大きくすれば読みやすく、小さくすれば画面内の情報量を増やすことができる

文字の大きさを7段階で変更

画面内の文字が小さくて見にくい場合は、「設定」→「画面表示と明るさ」→「テキストサイズを変更」で文字サイズを調整しよう。「設定」内の項目名やメールやメッセージの文章はもちろん、App Storeからインストールしたものを含めてさまざまなアプリで表示される文字サイズを7段階で変更可能だ。逆に文字を小さくすることで、通知などの情報量を増やすこともできる。

18 横画面で音量調節ボタンの上げ下げを入れ替えない

音量コントロールの位置を設定する

設定のスイッチオンで固定することが可能

画面の向きのロックがオフの場合、画面を横向きにすると音量調節ボタンの上げ下げが入れ替わる。音量を上げるボタンが下げるボタンになり、下げるボタンが上げるボタンになるのだ。この音量調節ボタンの入れ替わりをなくし、上げ下げを固定した状態にしたい場合は、「設定」→「サウンド」→「音量コントロールの位置を固定」をオンにしよう。

「設定」→「サウンド」→「音量コントロールの位置を固定」をオンにすれば、横画面にしても音量調節ボタンが固定される

19 写真やファイルを複数選択する操作法

アプリの複数選択と同じ操作

2本の指を使ってまとめよう

ホーム画面で複数のアプリを選択し、移動させる方法はP022で解説した。アプリをひとつ少しドラッグさせ、そのまま指を離さず他のアプリをタップするという方法だが、この操作法で写真やファイルも複数同時に扱うことができる。写真アプリやファイルアプリで写真やファイルを整理したい時に利用したい。また、App Storeからインストールした他社製のアプリでも使える場合が多い。

写真アプリで写真をひとつ少しドラッグし、そのまま指を離さず別の指で他の写真をタップ。すると写真が集合してまとめて扱えるようになる。押さえたまま別の指でサイドメニューを開き、アルバムへドラッグ＆ドロップすることもできる

20 2本指ドラッグでメールやファイルを選択

複数の項目を素早く選択する

各種アプリで使える効率的な操作法

メールアプリやファイルアプリで複数のメールやファイルをまとめて選択したい場合は、2本指でドラッグしてみよう。素早くスムーズに複数の項目を選択状態にできる。メールを3通選択して指を離し、2通飛ばしてその下の3通をドラッグして合計6通選択するといった操作も可能だ。この2本指ドラッグの操作はさまざまなアプリで利用できる。特にリスト表示で使うと効率的だ。

2本指でドラッグして選択。再度2本指でドラッグすると、選択を解除できる

21 画面のスクロールを素早く行う操作法

スクロールバーをドラッグする

繰り返しフリックする必要なし

Safariやミュージック、ニュースアプリ、各種書類など、縦に長い画面をスクロールする際は、画面右のスクロールバーを操作しよう。スクロールバーを少しロングタップし、上下にドラッグすればスピーディにスクロールを行える。スクロールバーが見当たらない場合は、スワイプやフリックで少しだけスクロールすれば画面右に表示される。

このバーをロングタップして上下にドラッグすれば高速にスクロールできる

22 | Face IDやTouch IDで各種認証を行う

支払いや自動入力をスムーズに

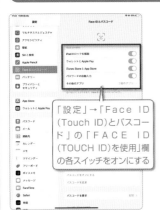

アプリのロック解除にも利用できる

顔認証のFace IDや指紋認証のTouch IDといった生体認証は、iPadのロック解除だけではなく、さまざまなシーンで利用できる。App Storeでの有料アプリ購入や、Apple Payでの支払い、ログインパスワードの自動入力にあたって素早く認証できるほか、対応アプリではロックの解除にも利用できる。あらかじめ設定で該当のスイッチをオンにしておこう。

> 「設定」→「Face ID（Touch ID）とパスコード」の「FACE ID（TOUCH ID）を使用」欄の各スイッチをオンにする

25 | QRコードを読み取る

コードスキャナーを利用しよう

簡単に情報にアクセスできる便利な機能

URLを入力することなくWebサイトにアクセスしたり、SNSの情報交換が簡単に行えるなど、さまざまなシーンで活躍するQRコード。iPadでは、コントロールセンターから呼び出せる「コードスキャナー」を起動し、カメラをQRコードへ向けることですぐに読み取ることができる。コントロールセンターにコードスキャナーがない場合は、P027の記事を参考に追加しておこう。

> コントロールセンターからコードスキャナーを起動し、カメラをQRコードへ向けるとすぐに読み取りが完了し、動作が実行される

23 | Night Shiftで画面のブルーライトを低減する

夜間は画面を目に優しい表示にする

指定時間に自動で切り替え可能

目の疲労を引き起こすブルーライト。「Night Shift」機能を有効にすれば、iPadのディスプレイが発するブルーライトを低減することができる。開始時刻と終了時刻を設定すれば、その時間に自動でディスプレイが暖色系となり、目の負担が軽減される仕組みだ。就寝前にiPadで電子書籍を読んだりSNSを楽しむ人は、ぜひ設定しておこう。

> 「設定」→「画面表示と明るさ」→「Night Shift」→「時間指定」をオンにし、開始時刻と終了時刻を設定。色温度も調整できる

26 | アプリに位置情報の使用を許可する

プライバシー情報を管理する

アプリごとに使用許可を設定可能

特定のアプリを起動した際に表示される位置情報使用許可に関するメッセージ。マップや天気など、あきらかに位置情報が必要なアプリでは「アプリの使用中は許可」を選択すればよい。「許可しない」を選んでも、位置情報が必要な機能を使う際は、設定変更を促すメッセージが表示される。位置情報は、「設定」→「プライバシーとセキュリティ」→「位置情報サービス」で後から変更可能だ。

> ほとんどは「アプリの使用中は許可」で問題ない。マップの現在地表示機能などは、位置情報の使用を許可しないと利用できない

24 | Bluetoothでイヤホンやスピーカーを接続

ワイヤレスで各種機器を利用する

機器を検出してペアリングする

iPadは、Bluetooth対応のイヤホンやヘッドホン、スピーカー、キーボードなどをワイヤレスで接続して利用できる。「設定」→「Bluetooth」で「Bluetooth」のスイッチをオンにすると、接続可能な機器名が表示されるので、タップしてペアリングすればOK。なお、AirPodsの場合は画面に表示される指示に従うだけで簡単に接続可能だ。

> 「設定」→「Bluetooth」で「Bluetooth」のスイッチをオンに。ペアリング可能な機器が表示されるのでタップすれば接続される

27 | 設定の項目をキーワード検索する

目当ての機能を素早く見つける

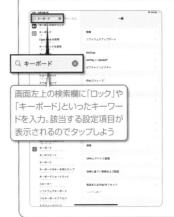

ピンポイントで設定画面を表示

iPadの「設定」アプリには画面表示やサウンド、通知、セキュリティなど多岐にわたる細かい設定項目が用意されている。iPadOSのアップデートにより、設定項目は増えていく一方だ。目当ての設定項目が見つからない時は、メニュー上部の検索欄でキーワード検索を行おう。該当項目がリストアップされ、タップして設定画面を開くことができる。

> 画面左上の検索欄に「ロック」や「キーボード」といったキーワードを入力。該当する設定項目が表示されるのでタップしよう

section

02

標準アプリ完全ガイド

初期設定を済ませて本体やiPadOSの基本操作を覚えたら、あらかじめ
インストールされている標準アプリを使ってみよう。Webブラウザの
Safariやメール、カメラなどの操作法や設定ポイントを詳細に解説している。

Safari

標準WebブラウザでWebサイトを快適に閲覧する

さまざまな便利機能を備える
Webブラウザアプリを使いこなそう

iPadでWebサイトを閲覧するには、標準で用意されているWebブラウザアプリ「Safari」を使おう。Safariのアドレスバーは「検索フィールド」と呼ばれ、キーワード検索ボックスとしても利用できる。Webページを検索したい場合は、検索フィールドにキーワードを入力すればよい。そのほか、画面内のスクロールや拡大・縮小、複数ページのタブ切り替え、よく見るサイトのブックマーク登録、閲覧履歴の確認といった、よく行う基本操作を覚えておこう。

また、SafariにはWebサイトを快適に閲覧するための便利な機能が多数用意されている。複数のタブをグループ化してまとめて管理できる「タブグループ」や、履歴を残さずWebページを閲覧できる「プライベートモード」など、Safariならではの機能を使いこなそう。なお、iPsdOS 17で新たに搭載された「プロファイル」機能については、Section 03のP090で解説している。

使い始め
POINT! 検索フィールドにキーワードを入力してWebページを検索しよう

> タップしてキーワードを入力する。Apple Pencilを使って、手書きで文字を入力することもできる（P088で解説）
>
> 国立博物館

Safariを起動したら、まずは画面上部の検索フィールド内をタップしよう。キーボードでURLを入力してリターンキーをタップすれば、そのURLのページを直接開くことができる。この検索フィールドはその名の通りキーワード検索ボックスも兼ねており、キーワードを入力してリターンキーをタップすると、Google検索結果が開く。また、キーワードの入力中には、検索フィールドの下部に、入力中の文字に関連した検索候補も表示される。これをタップすると、その候補の検索結果が表示される。検索フィールの右端のマイクボタンで音声入力も可能だ。

操作❶ Webページの画面内の操作

1 │ リンクをタップしてリンク先のページにアクセスする

> リンクをタップしてリンク先のページを開く。

検索結果などWebページ内のリンクをタップすると、そのリンク先にアクセスし、Webページを表示することができる。

2 │ 画面を上下に動かして続きのページを表示する

> 上下にスワイプして画面をスクロールする

Webページの画面が上下に続いている場合は、画面内を上下にスワイプしてみよう。スクロールして続きの画面が表示される。

3 │ 文字が小さい画面はピンチ操作で拡大表示できる

> ピンチアウトで拡大、ピンチインで縮小表示

2本の指を外側に押し広げる操作（ピンチアウト）で画面を拡大表示、逆に外から内に縮める操作（ピンチイン）で縮小表示することができる。

操作❷ ツールバーやタブの操作

1 | 前のページに戻る、次のページに進む

ツールバー左上の「<」をタップすると直前に開いていたページに戻る。戻ったあとに「>」をタップで次のページに進む。

2 | もっと前のページに戻る、先のページに進む

「<」や「>」をロングタップ（長押し）すれば、このタブの閲覧履歴が表示される。タップすればより前のページに戻ったり先のページに進める。

3 | 複数のWebページをタブで管理する

「設定」→「Safari」で「タブバーをコンパクトに表示」を選択していると、上部の検索フィールドとタブが一体化して表示される（P056で解説）

複数のWebページを同時に開いている時は、画面上部に見出しが一覧表示される。これを「タブ」と言い、タップして簡単に表示を切り替えできる。

4 | 新しいタブでWebサイトを開く

今見ているサイトを残したまま、新しいタブで別のサイトを開ける

新規タブで開く

画面右上の「＋」をタップで新しいタブが開く。または、ページ内のリンクをロングタップして「新規タブで開く」を選べば、リンク先を新しいタブで開くことができる。

5 | 開いている他のタブに切り替える

タップ

画面右上のタブボタンで開いているタブを一覧表示

画面上部のタブをタップして画面を切り替え。不要なタブの「×」をタップして閉じることができる。また、タブボタンでタブを一覧表示可能だ。

6 | 開いているすべてのタブをまとめて閉じる

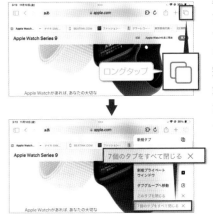

ロングタップ

7個のタブをすべて閉じる ×

タブボタンをロングタップして、表示されるメニューで「○個のタブをすべて閉じる」をタップすれば、すべてのタブをまとめて閉じることができる。

表示中のWebページを更新する

検索フィールドの右端にある、リロードボタン（回転した矢印）をタップすれば、表示中のページを更新して、最新の状態でWebページを表示することができる。

2本指でタップし新規タブで開く

リンク先を新規タブで開きたい場合は、いちいちロングタップして「新規タブで開く」をタップしなくても、2本指でリンクをタップするだけでよい。

リンクを2本指でタップ

表示中のページ内のテキストを検索する

画面右上の共有ボタンをタップし、続けて「ページを検索」をタップすれば、ページ内のテキストを検索できる。一致する文字列は黄色でハイライト表示される。

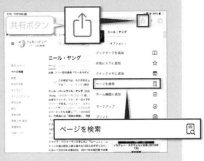

共有ボタン

ページを検索

1 サイドバーを表示する

タップしてサイドバーを開く

Safari

作成済みのタブグループ一覧

仕事や趣味など、カテゴリ別にタブをグループ分けできる機能が「タブグループ」だ。作成済みのタブグループはサイドバーで確認できる。

2 新規タブグループを作成する

空の新規タブグループ

タブグループに名前を付けて保存

サイドバー上部の「+」→「空の新規タブグループ」をタップし、「仕事」や「ニュース」などカテゴリ別のタブグループを作成しておこう。

3 タブをタブグループに追加する

追加したいタブグループを選択。タブをロングタップして少し動かし、そのまま別の指でサイドバーを開いて、タブグループ名にドラッグ&ドロップする方法もある

開いているタブを別のグループに移動するには、タブをロングタップして「タブグループへ移動」をタップし、移動したいグループを選択。

4 複数のタブからグループを作成する

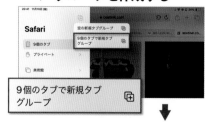

9個のタブで新規タブグループ

タブグループに名前を付けて保存

開いている複数のタブを新規タブグループにまとめるには、サイドバーの「+」→「○個のタブで新規タブグループ」をタップ。

5 タブグループを切り替える

サイドバーでタブグループを選択

レコードショップ

タブグループを開いている際にサイドメニューボタン右に表示されるグループ名をタップして、タブグループを切り替えることもできる

タブグループの表示を切り替えるには、サイドバーを開くかタブグループ名をタップして、他のタブグループを選択すればよい。

6 タブグループの内容をサイドバーで一覧する

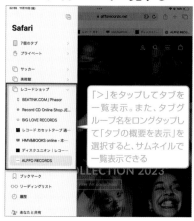

「>」をタップしてタブを一覧表示。また、タブグループ名をロングタップして「タブの概要を表示」を選択すると、サムネイルで一覧表示できる

サイドバーのタブグループ名右の「>」をタップすると、グループ内のタブの名前（Webサイトの名前）がリスト表示される。

リンクを新規タブではなく新規ウインドウで開く

リンクをロングタップしてメニューから「新規ウインドウで開く」をタップすると、リンク先をステージマネージャ（またはSplit View）の新規ウインドウで開いて、2つのWebサイトを同時に表示することが可能だ。

タップ

新規ウインドウで開く

一定期間見なかったタブを自動で消去

開きっぱなしのタブを自動で閉じるには、「設定」→「Safari」→「タブを閉じる」をタップ。最近表示していないタブを1日後や1週間後、1か月後に閉じるよう設定できる。

タップ

タブを閉じる　1週間後 >

タブバーの表示形式を変更する

タブの表示形式は「設定」→「Safari」で変更できる。「タブバーをコンパクトに表示」を選択すると、上部の検索フィールドとタブが一体化し、画面をより広く使える。

表示形式を選択

使いこなしヒント

操作❹ よく利用するサイトをブックマーク登録する

1 共有ボタンから「ブックマークを追加」をタップする

よく使うサイトは、素早くアクセスできるようブックマーク登録しておこう。まず、右上の共有ボタンから「ブックマークを追加」をタップ。

2 場所を指定して「保存」をタップする

タブグループを選択すれば、そのタブグループの「お気に入り」に登録され、新規タブのスタートページに表示される

「場所」欄をタップすれば、ブックマークの保存先フォルダを変更できる。あとは右上の「保存」をタップすればブックマークへの登録は完了。

3 ブックマークにアクセスする

サイドバーの「ブックマーク」をタップすると、追加したブックマーク一覧が表示され、タップするだけで素早くそのサイトにアクセスできる。

4 ブックマークを編集する

ブックマーク名右の三本線部分をドラッグして並び順を変更することもできる

サイドメニューでブックマークを表示し、画面下の「編集」をタップ。各ブックマークの「−」をタップして削除できる。

5 新規フォルダを作成する

ブックマークをフォルダで分類したい場合は、編集モードにして、左下の「新規フォルダ」をタップ。新しいブックマークフォルダを作成できる。

6 ブックマークをフォルダに移動する

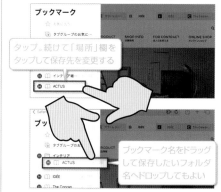

タップし続けて「場所」欄をタップして保存先を変更する

ブックマーク名をドラッグして保存したいフォルダ名へドロップしてもよい

編集モードでブックマーク名をタップして、「場所」欄をタップすると、ブックマークの保存先を他のフォルダに変更することができる。

操作❺ 閲覧履歴の残らないプライベートブラウズを利用する

1 プライベートブラウズを開始する

タブボタンをロングタッチして、「新規プライベートタブ」か「新規プライベートウインドウ」を選択する

プライバシーに配慮した「プライベートブラウズ」を使うと、検索履歴や閲覧履歴、自動入力された情報などがSafariに保存されない。

2 プライベートブラウズでWebを閲覧する

通常モードに戻るには、タブボタンをタップして「プライベート」部分をタップ。「○個のタブ」やタブグループを選択しよう

プライベートタブは、検索フィールドが黒く表示される。プライベートタブでウェブサイトを見るための操作法は通常タブと同じだ。

3 プライベートブラウズをロックする

「設定」→「Safari」で「プライベートブラウズをロック解除するにはFace(Touch)IDが必要」をオンにする

プライベートブラウズで開いたタブは他の人に見られないようロックすることができる。ロックはFace IDやTouch IDで解除する。

メール

自宅や会社のメールをこれ一本でまとめて管理

まずは送受信したい
メールアカウントを追加していこう

iPadに標準搭載されている「メール」アプリは、自宅のプロバイダメールや会社のメール、iCloudメールやGmailなど、複数のメールアカウントを追加して、まとめて管理できる便利なアプリだ。複数のアカウントを追加していると、「メールボックス」画面にアカウントごとのメールボックスが作成されるほか、「全受信」メールボックスで

すべてのアカウントの受信メールをまとめて確認できるようになる。メールアカウントごとに通知方法を変更するといった設定も可能だ。まずは、普段利用しているメールアカウントをすべてメールアプリに追加しておこう。iCloudメールやGmailなどは、アカウントとパスワードを入力するだけで追加できる簡易メニューが用意されているが、自宅や会社のメールアカウントは手動で追加する必要がある。プロバイダや会社から指定されている、POP3サーバやSMTPサーバの情報を手元に用意して設定を進めよう。

使い始め
POINT!　「メール」アプリで送受信できるメールアカウント

メールアプリのアカウントは、「設定」→「メール」→「アカウント」→「アカウントを追加」から登録する。iCloudメールやGmailならアカウントとパスワードの入力で簡単に登録できるが、自宅や会社のメールは、「その他」でPOPやSMTPサーバ情報などを入力する必要がある。

「設定」→「メール」→「アカウント」→「アカウントを追加」をタップし、一番下にある「その他」をタップする。

「メールアカウントを追加」をタップする。あとは、下記の手順に従って、アカウントや送受信サーバの情報を入力しよう。

キャリアメールを
設定するには

ドコモなどの通信キャリアで購入したWi-Fi+CellularモデルのiPadであれば、@docomo.ne.jp、@au.com／@ezweb.ne.jp、@i.softbank.ne.jpなどのキャリアメールも、「メール」アプリで送受信することが可能だ。アカウントの登録方法はキャリアによって異なるが、基本的にはSafariでサポートページにアクセスし、設定用のプロファイルをインストールすればよい。最初はランダムな英数字のメールアドレスが割り当てられるが、アカウントの設定時に好きなアドレスに変更できる。

操作❶　自宅や会社のメールアカウントを登録する

1 | メールアドレスと
パスワードを入力する

上記「使い始めPOINT!」の手順を進めるとこの画面になる。自宅や会社のメールアドレス、パスワードなどを入力し、右上の「次へ」をタップ。

2 | 「POP」に変更して
サーバ情報を入力

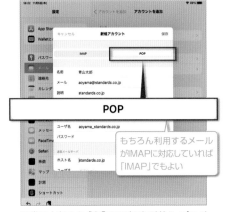

もちろん利用するメールがIMAPに対応していれば「IMAP」でもよい

通常は上部のタブを「POP」に切り替え、プロバイダや会社から指定されている、POP3やSMTPサーバの情報を入力して、「保存」をタップする。

3 | メールアカウントの
追加を確認

standards.co.jp
メール

設定完了

サーバとの通信が確認されると、元の「アカウント」設定画面に戻る。追加したメールアカウントがアカウント一覧に表示されていればOK。

操作❷　受信したメールを読む、返信する

1 メールアプリを タップして起動する

アカウントの追加を済ませたら、ドックにある「メール」アプリを起動しよう。アイコンの右上にある⑧の数字(バッジ)は、未読メールの件数だ。

2 メールボックスの 表示と手動チェック

下にドラッグしてメールボックスを最新状態に更新する

左欄に受信トレイのメールが一覧表示される。メール一覧を下にドラッグすれば、手動で新着メールをチェックできる。

使いこなしヒント

他のアカウントのメールを チェックするには

「全受信」およびアカウントごとの受信トレイを切り替える

複数のメールアカウントを追加している場合、左上の「戻る」(またはアカウント名)をタップすれば、メールボックス一覧画面に戻り、他のアカウントに切り替えできる。「全受信」はすべてのアカウントの受信メールをまとめて表示する受信トレイだ。

3 メールの本文を 開いて読む

リンクをタップすれば関連アプリが起動する

件名をタップするとメール本文が表示される。住所や電話番号はリンク表示になり、タップするとマップが起動したり、FaceTimeを発信できる。

4 返信・転送メールを 作成するには

タップ

右下の矢印ボタンをタップすると、「返信」「全員に返信」「転送」メールを作成できる。フラグやミュートの設定も可能だ。

5 メールに添付された ファイルを開く

ロングタップ

添付画像をロングタップすれば保存や共有が可能だ。オフィス文書やPDFの場合は、ファイル名をタップすればプレビュー表示できる。

重要なメールは 「フラグ」を付けて整理

重要なメールは、右下の返信ボタンから「フラグ」をタップし、好きなカラーのフラグを付けておこう。メールボックスの「フラグ付き」でフラグ付きメールのみ一覧表示できる。

タップ

大量の未読メールを まとめて既読にする

メール一覧画面の上部にある「編集」→「すべてを選択」をタップし、続けて下部の「マーク」→「開封済みにする」をタップすれば、未読メールをまとめて既読にできる。

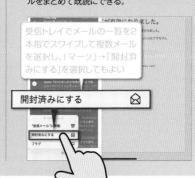

受信トレイでメールの一覧を2本指でスワイプして複数メールを選択し、「マーク」→「開封済みにする」を選択してもよい

開封済みにする

メールを左右に スワイプして操作する

メール一覧画面でスレッドを左右にスワイプすると、「リマインダー」や「ゴミ箱」(削除)などの操作を行える。メールを開いた状態でも、左右にスワイプで操作メニューが表示される。

スワイプする。Gmailのアカウントの場合は、「ゴミ箱」部分が「アーカイブ」となる

使いこなしヒント

1 | 新規メール作成ボタンをタップする

このボタンをタップして新規メールを作成する

新規メールを作成するには、メール本文画面の右上にあるボタンをタップしよう。メールの作成画面が開く。

2 | 宛先を入力、または候補から選択する

名前やアドレスを入力

タップして候補から選択

「宛先」欄にアドレスを入力する。または、名前やアドレスの一部を入力すると、連絡先から候補が表示されるので、これをタップして宛先に追加する。

3 | 複数の相手に同じメールを送信する

複数の宛先を指定

宛先を入力してリターンキーをタップすると、自動的に宛先が区切られて、複数の宛先を追加入力することができる。

4 | 宛先にCc／Bcc欄を追加する

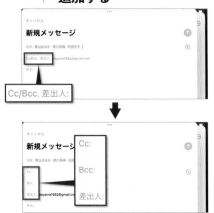

Cc/Bcc, 差出人:

複数の相手にCcやBccでメールを送信したい場合は、宛先欄の下「Cc/Bcc,差出人」欄をタップすれば、Cc、Bcc、差出人欄が個別に開く。

5 | 差出人アドレスを変更する

差出人アドレスを選択

複数アカウントを追加しており、差出人アドレスを変更したい場合は、「差出人」欄をタップし、差出人アドレスを選択すればよい。

6 | 件名、本文を入力して送信する

タップして送信

宛先と差出人を設定したら、あとは件名と本文を入力して、右上の送信ボタンをタップすれば、メールを送信できる。

7 | 作成中のメールを下書き保存する

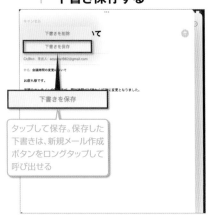

タップして保存。保存した下書きは、新規メール作成ボタンをロングタップして呼び出せる

左上の「キャンセル」→「下書きを保存」で作成中のメールを下書き保存できる。下書きメールを開くには新規メール作成ボタンをロングタップ。

8 | 写真やファイル、手書きスケッチを添付する

写真やビデオ、ファイル、カメラで撮影した書類、手書きで描画したスケッチなどを添付できる

本文内のカーソル上をタップすると表示されるメニューや、キーボード上のショートカットボタンから、さまざまなファイルを添付できる。

9 | 大きなサイズのファイルを送信する

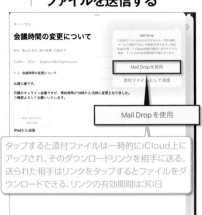

Mail Dropを使用

タップすると添付ファイルは一時的にiCloud上にアップされ、そのダウンロードリンクを相手に送る。送られた相手はリンクをタップするとファイルをダウンロードできる。リンクの有効期間は30日

添付ファイルが大きすぎる場合は、送信時に表示される「Mail Dropを使用」をタップすることで、iCloud経由で送信することができる。

操作❹　複数アカウントを効率よく管理する

1 アカウントごとに通知を設定する

「設定」→「通知」→「メール」→「通知をカスタマイズ」をタップすると、アカウントごとに、通知の有無やサウンドの指定、バッジ表示の有無を変更できる

複数のメールアカウントを追加している場合は、アカウントごとに通知をオン／オフしたり、通知音を変更できる。重要な仕事用メールはすべての通知方法をオンにしておき、個人用メールはバッジのみにしておくなどして使い分けよう。

2 アカウント別にウィジェットを配置

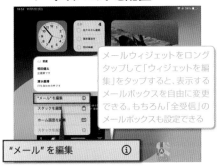

メールウィジェットをロングタップして「ウィジェットを編集」をタップすると、表示するメールボックスを自由に変更できる。もちろん「全受信」のメールボックスも設定できる

メールのウィジェットは、どのメールボックスを表示するか自由に編集できる。メールアカウントを複数追加している場合は、それぞれのアカウントごとの受信ボックスを表示させておくのがおすすめだ。

3 ウィジェットはスタックしておく

ウィジェット内を上下にスワイプすると、表示するアカウントを切り替えて、それぞれの新着メールを素早く確認できる

アカウントごとのウィジェットをホーム画面に並べるとスペースを取るので、重ね合わせてスタックしておこう。ウィジェット内を上下にスワイプすれば表示が切り替わり、それぞれの新着メールを素早く確認できる。

操作❺　メール送信時に使える便利な機能

メールの送信を取り消す

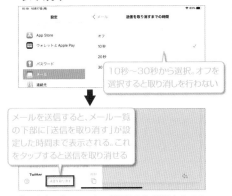

10秒～30秒から選択。オフを選択すると取り消しを行わない

メールを送信すると、メール一覧の下部に「送信を取り消す」が設定した時間まで表示される。これをタップすると送信を取り消せる

「設定」→「メール」→「送信を取り消すまでの時間」を設定しておくと、メール送信後もしばらくは送信を取り消せる。

作成したメールを指定日時に送信する

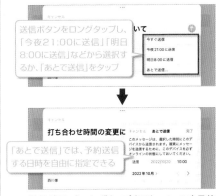

送信ボタンをロングタップし、「今夜21:00に送信」「明日8:00に送信」などから選択するか、「あとで送信」をタップ

「あとで送信」では、予約送信する日時を自由に指定できる

送信ボタンをロングタップすると、メールを予約送信できる。「あとで送信」をタップすると、送信する日時を自由に指定できる。

連絡先リストでメールを一斉送信する

連絡先アプリのリスト上部にあるメールボタンをタップ。または、メール作成画面の宛先にリスト名を入力してもよい

リスト内の連絡先が全員宛先に追加された状態で、新規メッセージ画面が開く

連絡先アプリでリストを作成しておくと（P067で解説）、リスト内のすべての連絡先に対して、メールを一斉送信できる。

フィルタ機能でメールを絞り込む

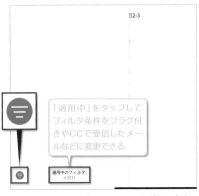

「適用中」をタップしてフィルタ条件をフラグ付きやCCで受信したメールなどに変更できる

メール一覧画面で左下のフィルタボタンをタップすると、「未開封」などの条件で表示メールを絞り込める。

忘れず確認や返信したいメールをリマインドする

メールを左へスワイプして、「その他」→「リマインダー」をタップ。「あとでリマインダー」を選ぶと、自由に指定した日時にそのメールがメールボックスの一番上に再度表示される

受信したメールを後で再度確実にチェックしたい場合や忘れず返信したい場合は、「リマインダー」機能を設定しよう。

メールに自動的に署名を付ける

「アカウントごと」にチェックすると、アカウントごとに別の署名を設定できる

メール作成時に本文に挿入される「iPadから送信」という署名は、「設定」→「メール」→「署名」で変更できる。

メッセージ

iPad同士やiPhone、Macとやり取りできる「iMessage」用アプリ

iPadでは「iMessage」のみ利用できる

「メッセージ」は、やり取りが会話形式で表示されるチャットのようなアプリだ。iPhoneでこのアプリを使うと、電話番号を宛先にしてやり取りする「SMS」や、キャリアメール（@au.comや@ezweb.ne.jp、@softbank.ne.jp）を宛先にやり取りする「MMS」、iOSデバイスやMac同士でのみやり取りできる「iMessage」の、3種類の

サービスを宛先から判断して自動で切り替えて利用できる。

しかしiPadの場合は仕様上、Wi-Fi+CellularモデルであってもSMSとMMSを利用できない。基本的にiMessage専用のアプリなのだ（ただし、下記の通り、iPhoneがあればSMSやMMSを転送してiPadで送受信することもできる）。またiPhoneやMacでやり取りしたメッセージの内容を、iPadのメッセージアプリでも確認できるように同期したいなら、それぞれのデバイスでiCloudの「メッセージ」をオンにしておこう。

使い始め
POINT! 「メッセージ」の基本を理解する

iPadのメッセージアプリは基本的に、iPadやiPhone、Macユーザーとだけメッセージをやり取りできる「iMessage」しか使えない。宛先は、相手がiMessageの送受信アドレスとして設定しているメールアドレスかiPhoneの電話番号となる。iMessage用のアドレスかどうかは、入力した宛先の文字色で判別できる。

送信できる宛先の確認方法

青文字は送信可能

：青山はるか → 宛先に入力したアドレスや名前が青文字なら、iMessageで送信可能なアドレス

赤文字は送信できない

：赤木太一 → 宛先に入力したアドレスや名前が赤文字なら、iMessageで送信できないアドレス

iPhoneとメッセージを同期しSMSやMMSも送受信可能にする

「設定」一番上のApple IDを開き、「iCloud」→「すべてを表示」→「メッセージ」のスイッチをオンにしておくと、同様に「メッセージ」のスイッチをオンにしたiPhoneとiCloudで同期して、まったく同じ内容のメッセージ送受信画面が表示される（P038で解説）。iPhoneに届いたSMSやMMSのメッセージも同期されるが、iPadからはSMSやMMSを送信できない。iPhoneで「設定」→「メッセージ」→「SMS/MMS転送」を開き、iPad名のスイッチをオンにすれば、iPadからもSMSやMMSのアドレスを宛先に送信可能になり、Androidスマートフォンともやり取りできる。これはiPhoneを経由してSMSやMMSを転送するための機能なので、iPadから送っても送信元はiPhoneの電話番号になる点に注意しよう。

操作❶ iMessageを利用可能な状態にする

1 Apple IDでサインインを済ませる

Apple IDを入力してサインイン

「iMessage」の利用にはApple IDが必須だ。「設定」→「メッセージ」でApple IDを入力しサインインすれば、iMessageが有効になる。

2 送受信アドレスを確認、選択する

送受信 4件のアドレス

メッセージの送受信アドレスは、「設定」→「メッセージ」→「送受信」で確認、選択できる。送受信に使いたいものだけチェックしておこう。

3 他の送受信アドレスを追加する

メールまたは電話番号を追加

「編集」をタップして、「メールまたは電話番号を追加」をタップすれば、新しいアドレスを追加できる

Apple ID以外の送受信アドレスは、「設定」の一番上にあるApple IDを開き、「サインインとセキュリティ」→「編集」をタップして追加する。

操作❷ 「メッセージ」アプリでiMessageをやり取りする

1 iMessageの宛先を確認して送信する

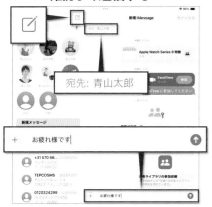

左欄上部のボタンをタップすると新規メッセージの作成画面が開く。宛先欄に宛先を入力（iMessage用の青文字になっていることを確認）し、メッセージを入力して「↑」ボタンで送信できる。

2 メッセージで写真やビデオを送信する

メッセージ入力欄左の「+」→「写真」をタップすると、写真やビデオを選択して送信できる。「カメラ」で撮影して送信することも可能だ。

3 ステッカーでキャラクターやイラストを送信する

メッセージ入力欄左の「+」→「ステッカー」をタップすると、LINEの「スタンプ」とじようなイラストやアニメーションを送信できる。

4 メッセージに動きやエフェクトを加えて送信

送信（「↑」）ボタンをロングタップすれば、吹き出しや背景にさまざまな特殊効果を追加する、メッセージエフェクトを利用できる。

5 3人上のグループでメッセージをやり取り

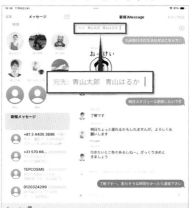

宛先欄に複数の連絡先を入力すれば、自動的にグループメッセージが開始され、ひとつの画面内で複数人と会話できるようになる。

6 特定のメッセージに返信する

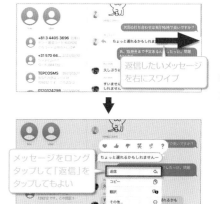

メッセージを右にスワイプするか、ロングタップして「返信」をタップすると、元のメッセージを引用して返信メッセージを送信できる。

7 メッセージの取り消しと編集

メッセージを送信して2分以内であれば、送信を取り消せる。また送信後15分以内であれば、あとから内容を編集して修正できる。

8 メッセージを素早く検索する

左欄上部の検索欄では、メッセージを送信元やリンク、写真、位置情報などでフィルタリングし、さらに追加のキーワードで絞り込める。

9 誤って削除したメッセージを復元

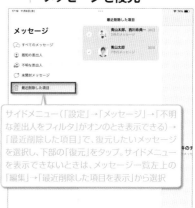

メッセージを誤って削除しても、削除して30日以内であれば、サイドメニューの「最近削除した項目」から選択して復元できる。

標準アプリ完全ガイド

FaceTime

さまざまなデバイスと無料でビデオ通話や音声通話ができる

高品質なビデオ通話や音声通話を無料で楽しめる

「FaceTime」は、ビデオ通話や音声通話を行えるアプリだ。Appleデバイス同士での通話はもちろん、一部の機能が制限されるがWindowsやAndroidユーザーともWebブラウザ経由で通話できるので（P092で解説）、オンラインミーティングなどに活用しよう。通話はAppleのサーバーを介して行われ、通話料も一切かからない。

映像や音声も高品質で、他の無料通話アプリ以上の快適さを体験できる。もちろん、Wi-Fi + Cellularモデルなら、モバイルデータ通信を使って外出先でも通話可能だ。Appleデバイス同士で通話する際の宛先は、Apple IDのアドレスや、iPhoneの電話番号、またはApple IDと関連付けたメールアドレスになる。また、「SharePlay」（P091で解説）を使えば、FaceTimeで通話している相手と同じビデオや音楽を一緒に楽しむことができる。Webサイトなどの画面を共有することも可能だ。

使い始め
POINT! 「FaceTime」の基本を理解する

FaceTimeを起動すると、「新しいFaceTime」と「リンクを作成」という2つのボタンが用意されている。Appleデバイス同士で通話するなら、「新しいFaceTime」をタップして宛先を入力しよう。右で解説している通り、青文字で表示される宛先なら、FaceTimeの着信用に設定されているApple IDやiPhoneの電話番号だ。その相手はAppleデバイスなので、お互いにFaceTimeアプリを使った通話ができる。WindowsやAndroidユーザーと通話したい場合は、「リンクを作成」をタップして招待リンクを送ろう（P092で解説）。相手はWebブラウザを使って、ログイン不要で通話に参加できる。ただし、ミー文字やSharePlayなど一部の機能は利用できない。

FaceTimeで通話する2つの方法

相手がAppleデバイスなら、「新しいFaceTime」で発信すると、すべての機能を使って通話できる。WindowsやAndroidユーザーと通話するなら「リンクを作成」でリンクを送信。

「新しいFaceTime」で通話できる相手

青文字なら通話可能

「新しいFaceTime」をタップして、宛先欄に名前やアドレス、電話番号を入力してみよう。青文字で表示される宛先なら、相手もAppleデバイスだ。お互いFaceTimeアプリで通話できる。

操作❶ FaceTimeを利用可能な状態にする

1 Apple IDでサインインする

Apple IDを入力してサインイン

「設定」→「FaceTime」でApple IDを入力してサインインすれば、iPadでFaceTimeを利用できるようになる。

2 送受信アドレスを確認、選択する

FaceTimeの発着信に使うアドレスにチェック。他のアドレスの追加は、メッセージの送受信アドレス追加と同様に（P062で解説）、Apple IDの設定画面で行う

「FACETIME着信用の連絡先情報」で着信用のアドレスを選択し、「発信者番号」で相手に通知する自分のアドレスを選択しておこう。

使いこなしヒント

iPhoneとiPadで同じApple IDを使う場合

iPad側はオフにしておく

または、iPhoneと異なる発着信アドレスにチェックしておく

iPhoneとiPadのFaceTimeに同じApple IDを使っていると、両方の端末で同時に着信してしまう。これを防ぐには、iPadのFaceTimeをオフにしてしまうか、またはiPhoneとは別のメールアドレスを、iPadのFaceTime発着信アドレスに設定すればよい。

操作❷ FaceTimeを発信／応答する

1 FaceTimeを発信する

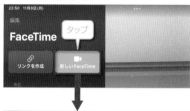

タップ

宛先を入力し、音声またはビデオ通話ボタンで発信

Appleデバイス同士で通話するには、「新しいFaceTime」をタップして宛先を入力。受話器ボタンで音声通話を、「FaceTime」ボタンでビデオ通話を発信できる。

2 FaceTimeに応答する

ロック画面の場合、トップボタンを2回押して応答拒否

ロック画面の場合、右方向にドラッグすれば応答。iPad使用中に着信した場合は、緑のボタンをタップして応答でき、赤いボタンをタップして応答を拒否できる

ロック中にかかってきたFaceTime通話は、受話器ボタンを右にドラッグして応答。応答を拒否したい場合は、トップボタンを2回押す。

3 FaceTimeビデオの通話中の操作

画面内を一度タップすると、画面左下に通話相手の名前や、スピーカー、カメラオフ、消音、画面共有、通話終了ボタンが表示される

通話相手の名前をタップするとメニュー画面が開き、メッセージの送信や参加者の追加を行える

FaceTimeビデオの通話中は、左下のボタンで消音やカメラオフの操作を行える。通話相手の名前をタップするとメニュー画面が開く。

4 自分のタイルで行える操作

タップすると背景をぼかす

エフェクトボタン。ミー文字やステッカーを利用できる

右下には自分が映ったタイルが表示される。タップすると、左上のボタンで背景をぼかしたり、左下のボタンでミー文字などを使える。

5 応答できない時の対処法

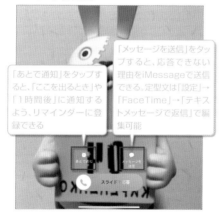

「あとで通知」をタップすると、「ここを出るとき」や「1時間後」に通知するよう、リマインダーに登録できる

「メッセージを送信」をタップすると、応答できない理由をiMessageで送信できる。定型文は「設定」→「FaceTime」→「テキストメッセージで返信」で編集可能

かかってきたFaceTime通話に出られないときは、「あとで通知」でリマインダーに登録したり、「メッセージを送信」で定型文を送信できる。

6 ピクチャインピクチャで通話する

FaceTimeの画面が小さくなり、他のアプリを同時に操作できる

FaceTimeビデオの通話中にホーム画面などに戻っても、「ピクチャインピクチャ」機能によって画面が縮小表示され通話を継続できる。

7 相手の不在時にビデオメッセージを残す

タップすると、カウントダウン後にビデオメッセージの収録が開始される。ビデオメッセージを受け取った側は、FaceTimeの履歴画面でビデオを再生できる

相手がFaceTimeビデオ通話に応答しなかった場合は、「ビデオ収録」ボタンをタップすることで、ビデオメッセージを収録して送信できる。

8 ジェスチャーでエフェクトを表示する

たとえば両手でサムズアップ（親指を立てるジェスチャー）すると、通話中の画面に花火のアニメーションが表示される。その他のジェスチャーについては、右の使いこなしヒントにまとめている

FaceTimeビデオの通話中は、特定のジェスチャーをカメラに向けることで、画面にハートマークや花火など8種類のアニメーションを表示できる。

💡 使いこなしヒント

FaceTime通話中に使えるジェスチャー

ジェスチャー	アニメーション
両手でハートマーク	ハートマーク
片手でサムズアップ	サムズアップ
両手でサムズアップ	花火
片手でサムズダウン	サムズダウン
両手でサムズダウン	雨
片手でピースサイン	風船
両手でピースサイン	紙吹雪
両手でロックオンサイン（人差し指と小指を立てる）	レーザー

連絡先

友人や取引先のメールアドレスや住所を管理

iPhoneやAndroidスマートフォンからの連絡先同期は簡単

iPadで連絡先を管理するには、「連絡先」アプリを利用する。別の端末に保存された連絡先を利用したい場合、その端末がiPhoneやiPadであれば、同じApple IDでiCloudにサインインして、「連絡先」をオンにするだけで簡単に連絡先を同期できる。また、同期元がAndroidスマートフォンであっても、iCloudの代わりにGoogleアカウ

ントを追加して「連絡先」をオンにするだけで、連絡先を同期可能だ。

なお、連絡先アプリで新規連絡先を作成したり編集、削除することは可能だが、削除した連絡先の復元など一部の操作は、WebブラウザでiCloud.com（https://www.icloud.com/）にアクセスして行う必要がある。複数の連絡先をまとめて編集したり削除するのもWebブラウザでの操作がスムーズ。そのほか、「自分の情報」の設定や、連絡先を友人に送る方法、重複した連絡先の結合といった操作も覚えておこう。

使い始め POINT! 他の端末に保存されている連絡先を同期する

iPhoneやiPadから連絡先を同期

連絡先の同期元がiPhoneやiPadであれば、まず同期元の機種で「設定」画面の一番上のApple IDをタップし、「iCloud」をタップ。続けて「すべてを表示」→「連絡先」をオンにしておく。あとは、同期先のiPadでも同じApple IDでサインインを済ませ、設定のApple ID画面を開いて「iCloud」の「連絡先」をオンにすれば、同期元と同じ連絡先を利用できる。なお、両端末でデータが同期されるので、連絡先の追加や削除も相互に反映される。

Androidから連絡先を同期

同期元がAndroidスマートフォンなら、連絡先はGoogleアカウントに保存されているはずだ。同期先のiPadで「設定」→「連絡先」→「アカウント」→「アカウントを追加」→「Google」をタップし、Googleアカウントを追加。「連絡先」をオンにすれば、連絡先アプリに情報が同期される。もちろん、連絡先の追加や削除も相互に反映される。

操作❶ 新しい連絡先を作成する

1 新規連絡先を作成する

新しい連絡先を作成するには画面上部の「+」をタップ。名前や電話番号を入力し、最後に「完了」をタップすれば保存できる。

2 複数の電話やメールを追加する

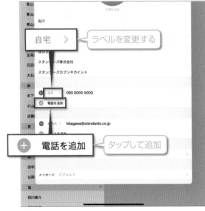

「電話を追加」や「メールを追加」で複数のメールアドレスを追加できる。また「自宅」や「勤務先」などのラベルも変更できる。

使いこなしヒント

iCloud.comで連絡先を編集する

パソコンのWebブラウザでiCloud.com（https://www.icloud.com/）にアクセスし、iPadと同じApple IDでサインインして「連絡先」をクリックすれば、大量の連絡先を効率的に作成、編集できる。iPadのSafariでアクセスしてもよいが、複数の連絡先をまとめてスムーズに操作するには外付けキーボードやマウスが必要。

操作❷ 連絡先を編集、削除、復元する

1 | 登録済みの連絡先を編集する

登録済みの連絡先を編集したい場合は、連絡先の詳細画面を開いて、右上の「編集」をタップすればよい。編集モードになり、内容を変更できる。

2 | 不要な連絡先を削除する

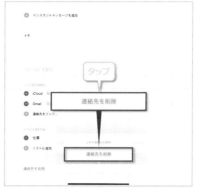

編集モードの画面を一番下までスクロールして「連絡先を削除」→「連絡先を削除」をタップすれば、この連絡先を削除できる。

3 | 削除した連絡先を復元する

誤って削除した連絡先を復元するには、Safariやパソコンの Web ブラウザで iCloud.com にアクセスし、トップ画面下部の「データの復元」→「連絡先を復元」から、復元したい日時の「復元」ボタンをタップしよう。

操作❸ その他の便利な機能と設定

連絡先で「自分の情報」を設定する

「設定」→「連絡先」→「自分の情報」で自分の連絡先を指定しておけば、連絡先の最上部に、「自分のカード」として自分の連絡先が表示される。

連絡先を他のユーザーに送信する

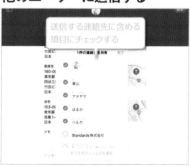

連絡先を開いて「連絡先を送信」をタップし、相手に伝える電話番号やメールアドレスなどを選択して「完了」をタップ。メールやメッセージ、AirDrop などさまざまな方法で連絡先を送信できる。

重複した連絡先を結合する

重複した連絡先は自動検出されるので「重複項目を表示」から結合しておこう。重複として検出されていない連絡先も手動で結合できる。

リスト機能で連絡先をグループ分けする

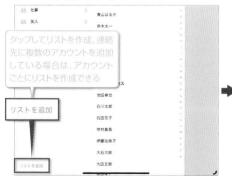

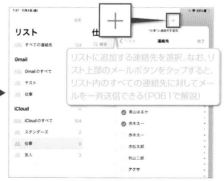

連絡先は「リスト」でグループ分けして整理できる。まず、連絡先一覧の左上「リスト」をタップしてリスト一覧を開き、下部の「リストを追加」から「仕事」や「友人」といったリストを作成しておこう。

作成したリストを開いて上部の「＋」ボタンをタップ。このリストに追加する連絡先にチェックして、右上の「完了」をタップしよう。連絡先をロングタップし、リストにドラッグ＆ドロップで追加することもできる。

💡 使いこなしヒント

共有メニューに連絡先が表示されるのを防ぐ

あまり使わない連絡先は、ロングタップして「おすすめを減らす」で非表示にできる。おすすめの連絡先欄の表示自体が不要なら、「設定」→「Siriと検索」→「共有中に表示」をオフにしよう

アプリの共有ボタンをタップすると、以前にメッセージや LINE、AirDrop などでやり取りした相手とアプリが、おすすめの連絡先として表示される。いつも連絡する相手が決まっているなら便利だが、あまり使わない連絡先が表示されると誤タップの危険もある。不要なら非表示にしておこう。

標準アプリ完全ガイド

App Store

さまざまな機能を備えたアプリを手に入れる

便利なアプリを
iPadに追加しよう

iPadでは、標準でインストールされているアプリを使う以外にも、この「App Store」アプリから世界中で開発されたアプリを探してインストールすることができる。App Storeには膨大な数のアプリが公開されており、漠然と探してもなかなか目的のアプリは見つからないので、「Today」「ゲーム」「アプリ」メニューやキーワード検索を使い分けて、欲しい機能を備えたアプリを見つけ出そう。なお、App Storeを利用するにはApple IDが必要なので、App Storeアプリ右上のユーザーボタンをタップし、あらかじめサインインを済ませておこう。また有料アプリを購入するには、クレジットカードか、家電量販店やコンビニで購入できる「Apple Gift Card」が必要。一度購入したアプリはApple IDに履歴が残っているので、iPadからアプリを削除しても無料で再インストールできるほか、同じApple IDを使うiPhoneなどにインストールすることも可能だ。

使い始め
POINT! 欲しいアプリを探し出そう

各メニューから探す

ランキングから探したい場合は、「アプリ」タブで「無料アプリランキング」や「有料アプリランキング」の「すべて表示」をタップ

すべて表示

下部の「Today」「ゲーム」「アプリ」メニューで、カテゴリ別やランキング順に探そう。「Arcade」タブで配信されているゲームは、月額900円で遊び放題になる。

キーワード検索で探す

アプリ名やジャンルなどでキーワード検索する

アプリ名がわかっていたり、欲しい機能を持ったアプリを探したい場合は、「検索」メニューでキーワード検索する。よく検索される人気アプリ名も候補に表示される。

キーワード検索のコツ

複数ワードで絞り込む。また、英語で検索すると、新たな優良アプリに出会えることもある

「写真　加工」や「ノート　手書き」など複数のワードで絞り込み検索を行うと目当てのアプリにたどり着きやすい。

アプリの評価をチェック

目安として評価の件数と点数の両方高いものが人気のアプリだ

アプリ名をタップして詳細を開き、「評価とレビュー」欄の「すべての表示」をタップしよう。他のユーザーが投稿した、このアプリの評価とレビューを確認できる。

操作❶ アプリをインストールする

1 アプリを選び インストールボタンをタップする

無料アプリの場合 / 有料アプリの場合

検索したアプリを選択し、表示されているインストールボタンが「入手」と表示されているなら無料アプリだ。タップしてApple IDの認証を済ませ、インストールを進めよう。

検索したアプリを選択し、表示されているボタンが価格表示なら有料アプリだ。タップしてApple IDの認証を済ませ、インストールを進めよう。

2 承認を済ませて インストールする

Face ID搭載機種はトップボタンをダブルクリックして顔認証する。Touch ID搭載機種はホームボタンやトップボタンで指紋認証する。顔認証や指紋認証での購入設定がオフの場合は（P069の使いこなしヒントで解説）、Apple IDのパスワード入力が求められる

このような確認画面が表示されたら、トップボタンをダブルクリックして顔認証するか、ホームボタンなどで指紋認証を済ませると、インストールが開始される。

操作❷　支払い情報の登録と支払い方法の変更

1 有料アプリの購入は支払い情報が必要

有料アプリの購入時にまだ支払い情報を登録していない場合は、「続ける」をタップして、クレジットカード情報などを入力し購入処理を行おう。

2 購入済みアプリは無料で再インストールできる

一度購入したアプリは、削除しても無料で再インストールが可能だ。App Storeでアプリを検索し、クラウドボタンをタップすれば再インストールされる。

3 Appleのギフトカードを支払いに利用する

Apple Gift Card裏面のコードをカメラで読み取るか、キーボードで入力する

コンビニなどで購入できる「Apple Gift Card」で支払いを行うには、画面右上のユーザーボタンをタップし、「ギフトカードまたはコードを使う」からチャージすればよい。

4 支払いに使うクレジットカードを変更

画面右上のユーザーボタンをタップし、続けてApple IDをタップしてサインイン。「お支払い方法を管理」から支払いに使うカード情報を変更できる。

5 通信料と合わせて支払う「キャリア決済」

支払情報の変更画面で「キャリア決済」にチェックすれば、App StoreやiTunes Storeの料金を毎月の通信料と合算して支払える。

標準アプリ完全ガイド

操作❸　アプリをアップデートする

1 アプリの更新がないか確認する

App Storeアプリにバッジが表示されたら、更新可能なインストール済みアプリがある合図。タップしてApp Storeを起動しよう。

2 アプリを手動でアップデートする

ユーザーボタンをタップしてアカウント画面を開くと、利用可能なアップデート一覧が表示され、手動でアプリを更新できる。

カメラ

カメラの基本操作と撮影テクニックを覚えよう

**シャッターを押すだけで
最適な設定で撮影できる**

iPadで写真やビデオを撮影するには、標準の「カメラ」アプリを使おう。カメラを起動すると、自動的にピントや露出が調整されるので、あとはシャッターボタンをタップするだけで、何もしなくても明るく美しい写真を撮影できる。うまくピントが合わなかったり、別の被写体にピントを合わせたい時は、画面内をタップしてみよう。タップし

た位置にピントと露出を合わせて撮影できる。また右側のメニューで撮影モードを切り替えて、ビデオやスクエア写真、パノラマ写真を撮影できるほか、一定間隔ごとに撮影した写真をつなげてコマ送りビデオを作成する「タイムラプス」や、動画の途中をスローモーション再生にできる「スローモーション」、背景をぼかして撮影する「ポートレート」（iPad Pro 11インチと第3世代以降の12.9インチのフロントカメラのみ対応）など、一風変わった写真や動画も撮影できる。カメラでQRコードを読み取ることも可能だ。

**使い始め
POINT!** **カメラの画面構成と基本操作方法**

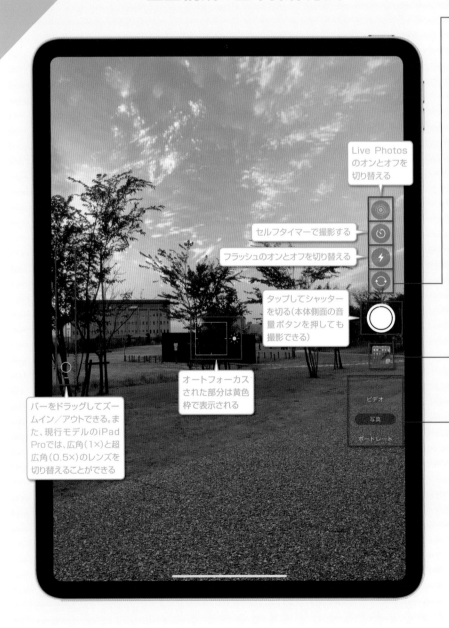

Live Photos
のオンとオフを
切り替える

セルフタイマーで撮影する

フラッシュのオンとオフを切り替える

タップしてシャッター
を切る（本体側面の音
量ボタンを押しても
撮影できる）

オートフォーカス
された部分は黄色
枠で表示される

バーをドラッグしてズームイン／アウトできる。また、現行モデルのiPad Proでは、広角（1×）と超広角（0.5×）のレンズを切り替えることができる

ビデオ

写真

ポートレート

フロントカメラへ切り替える

このボタンをタップすれば、バックカメラとフロントカメラを切り替えできる。フロントカメラでは、「スロー」「パノラマ」モードでの撮影は行えない。

撮影した写真を確認する

タップすると、直前に撮影した写真のプレビューが表示される。プレビュー画面では、右上の「すべての写真」をタップすると写真アプリが起動し、他の写真やビデオを確認できる。

**他の撮影モードに
切り替える**

撮影モード欄を上下にスワイプすれば、「ビデオ」や「タイムラプス」、「スローモーション」に切り替えできる。ビデオ撮影モードの場合は、赤丸ボタンをタップして録画を開始、もう一度タップで録画を停止する。

操作❶ さまざまな撮影モード、機能を利用する

1 ピントや露出を手動で合わせる

上下にドラッグで露出を補正

画面内をタップしてピントを合わせ、右の太陽マークを上下にドラッグすると、画面を明るく／暗くして露出補正できる。

2 セルフタイマーで3秒／10秒後に撮影する

タップしてタイマー設定　10秒

タイマーを3秒または10秒に設定すれば、カウント終了後に撮影される。「バーストモード」対応機種なら秒間10枚で高速連写される。

3 タイムラプスでコマ送り動画を撮影する

タップして録画開始／停止

「タイムラプス」モードで撮影すると、一定間隔ごとに静止画を撮影し、それをつなげてコマ送りビデオを作成できる。

4 指定したシーンだけをスローモーションにする

編集

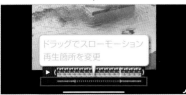

ドラッグでスローモーション再生箇所を変更

「スローモーション」で撮影した動画は、写真アプリを開いて「編集」ボタンをタップし、下部のバーでスローモーション再生にする箇所を変更できる。

5 シャッターをタップし続けて連写する

バーストモードで撮影した連続写真は、写真アプリの「バースト」アルバムにまとめて保存される

シャッターボタンをタップし続ければ連写できる。「バーストモード」対応機種であれば、1秒間に10枚の高速連写が可能だ。

6 ロック画面から即座にカメラを起動する

左にスワイプ

または、コントロールセンターを開きカメラボタンをタップ

ロック画面からすぐにカメラを起動したい場合は、ロック画面を左にスワイプするか、またはコントロールセンターでカメラボタンをタップする。

7 Live Photosで前後3秒の動画を保存

タップしてオンにする

「Live Photos」をオンにして撮影すると、前後3秒の動画が保存される。写真アプリで撮影した写真をロングタップすると動画が再生される。

8 ポートレートモードで背景をぼかして撮影

被写界深度（F値）を変更

照明エフェクトを変更

iPad Pro11インチと12.9インチ（第3世代以降）のフロントカメラのみ、「ポートレート」モードで、背景をぼかした写真を撮影できる。

💡 使いこなしヒント

写真やビデオの保存形式を変更する

「設定」→「カメラ」→「フォーマット」で「互換性優先」にチェックすれば、古いパソコンでも表示できるJPEGやH.264形式で保存される

現行モデルのiPadで撮影した写真やビデオは、HEIFやHEVCという比較的新しい形式で保存されるため、古いパソコンなどでうまく表示できない事がある。家族や友人によく写真を送る人は、「互換性優先」で保存した方がトラブルは少ない。

写真

撮影した写真やビデオを管理する

写真やビデオを編集したり iCloudに自動アップロードできる

iPadで撮影した写真やビデオは、すべて「写真」アプリに保存される。写真を見たりビデオを再生できるのはもちろん、アルバムで整理したり編集を加えたりもできる。また「iCloud写真」を有効にしておくと、写真やビデオはすべてiCloudへ自動でアップロードされる。元のデータがiCloudにあるので、iPhoneやパソコンからも同じ写真ライブラリを表示できるし、iPadが故障しても思い出の写真が消える心配もない。ただし、iCloud側にもiPadのライブラリのすべてを保存できる容量が必要だ。iCloud上や他のデバイスで写真を削除すると、iPadからも削除される（逆も同様）点にも注意しよう。そのほか、写真に写っている被写体を一瞬で切り抜いたり、写真やビデオに写っている文字をテキストとして利用することもできる。最大5人までの友人や家族と、写真やビデオを自動的に共有する「iCloud共有写真ライブラリ」も利用可能だ（P097で解説）。

使い始め POINT! 撮影したすべての写真を見るには?

左端から右にスワイプ

すべての写真

画面の左端から右にスワイプするか、左上のボタンをタップすると、サイドバーが開く。一番上の「ライブラリ」を開いて、上部メニューの「すべての写真」をタップすれば、iPad上のすべての写真やビデオを見ることができる。

「最近削除した項目」「非表示」のロック

オンを確認

削除した写真がしばらく残る「最近削除した項目」と、見られたくない写真を隠せる「非表示」アルバムは、標準ではロックされており、開くにはFace IDやTouch IDで認証が必要だ。ロックされていない場合は、「設定」→「写真」→「Face ID（Touch ID）を使用」のオンを確認しよう。

サイドバーで見たい写真を素早く探す

見たい写真を素早く探し出すには、サイドバーを使いこなそう。「メディアタイプ」でビデオやセルフィー、スクリーンショットなど撮影モード別にまとめて表示できるほか、「ピープル」でよく写っている人物別に表示したり、「撮影地」マップ上から写真を探し出せる。また「For You」では、自動生成されたスライドショーやおすすめの写真も楽しめる。

操作❶ 写真やビデオを閲覧し詳細を確認する

1 | 撮影した写真を表示する

左右にスワイプで次の写真や前の写真を表示

各メニューで写真のサムネイルをタップすれば、その写真が表示される。画面を左右にスワイプするか下部のサムネイルバーで表示写真を切り替える。

2 | 撮影したビデオを再生する

再生／一時停止とスピーカーボタン

ビデオのサムネイルをタップすると、自動で再生が開始される。上部メニューで一時停止やスピーカーのオン／オフが可能。

3 | 写真にキャプションを追加する

例えば美味しかった料理に「また食べたい」とキャプションを付けておけば、このキャプションでキーワード検索して、また食べに行きたい店の料理写真を素早く探し出せる

「i」ボタンで詳細を表示すると、「キャプションを追加」欄にメモを記入できる。このキャプションは検索対象になるのでタグのように使える。

操作❷ 写真アプリの基本操作と機能

1 | 写真やビデオを まとめて選択する

写真やビデオの一覧画面で右上の「選択」を タップすると選択モードになる。個別にタップし なくても、ドラッグでまとめて選択可能だ。

2 | 写真やビデオを 削除する

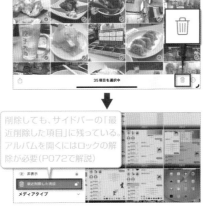

写真やビデオを選択して、ゴミ箱ボタンをタップ すると削除できる。削除してもしばらくは「最近 削除した項目」アルバムに残る。

3 | 削除した項目を復元 または完全に削除する

写真や動画をタップして、画面右下の「復元」 をタップすれば復元できる。また、右上の「選 択」をタップして複数選択した上で、右下の 「…」→「復元」をタップするとまとめて復元 できる。「削除」をタップすると完全に消去さ れ復元できなくなるので注意しよう

「最近削除した項目」アルバムでは、削除した写 真やビデオが最大30日間保存されており、選択 して復元したり、完全に削除することが可能だ。

4 | 強力な検索機能を 活用する

「猫」や「花」といった具体的な ワードで検索できる。また写真 につけたキャプション（P072 で解説）でもヒットする

サイドバーで「検索」を開くと、ピープルや撮影 地、カテゴリなどで写真を探せるほか、被写体や キャプションをキーワードにして検索できる。

5 | あとで見返したい写真は 「お気に入り」にする

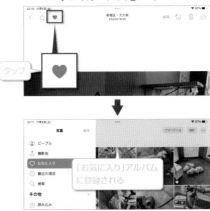

「お気に入り」アルバム に登録される

あとで見返したり誰かに見せたくなるような写 真は、ハートボタンをタップしておこう。「お気に 入り」アルバムですぐに表示できる。

6 | 見られたくない写真や ビデオを非表示にする

右下の「…」→「非表示」→「○枚の写真を 非表示」をタップするとライブラリから消え る。元通り表示するには、サイドバーの「非 表示」アルバムで非表示にした写真を選択 し、「…」→「非表示を解除」をタップ

写真を選択して、右下の「…」→「非表示」→ 「○枚の写真を非表示」をタップすると、選択し た写真は表示されなくなる。

7 | アルバムで 写真を整理する

タップして新規アルバムを作成し、 アルバムに追加する写真を選択 していく。既存のアルバムに写真 を追加するには、アルバムを開い て「＋」ボタンをタップする

サイドバーを下にスクロールして、マイアルバム の「新規アルバム」ボタンをタップすると、アル バムを作成して写真を追加できる。

8 | フィルタ機能で 写真を絞り込む

2つ以上の条件にチェックしてすべて当 てはまる項目のみ表示することも可能

写真の一覧画面で、右上のオプション（…）ボタ ンから「フィルタ」を選択すると、お気に入りや 編集済み、写真、ビデオのみを抽出できる。

9 | 自動で作成された メモリーを楽しむ

メモリーのBGMやフィルタは好きな ものに変更でき、BGMにApple Music （P078で解説）の曲を使うことも可 能だ。またメモリーはMOV形式の動画 ファイルとして共有できるが、Apple Musicの曲を使用すると共有できない

サイドバーで「For You」を開くと、特定のテー マで写真やビデオをまとめた「メモリー」が自動 作成されており、スライドショーも楽しめる。

操作❸ 撮影した写真を編集、加工する

1 | 写真を選択して 編集ボタンをタップ

写真アプリで編集したい写真を選んでタップ。続けて画面上部の「編集」をタップしよう。写真の編集画面に切り替わる。

2 | 編集画面で レタッチを行う

編集画面では、「調整」メニューで「自動」「露出」「ブリリアンス」などの項目が表示され、明るさや色合いを自由に調整できる。

3 | トリミングや 傾き補正も簡単

切り取りボタンをタップすると、四隅の枠をドラッグしてトリミングできるほか、傾きを修正したり、横方向や縦方向の歪みも補正できる。

4 | 写真の加工や編集を あとから元に戻す

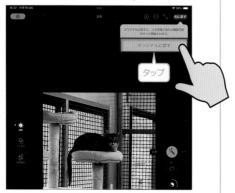

編集を適用した写真は、「編集」→「元に戻す」→「オリジナルに戻す」をタップするだけで、簡単に元の写真に戻すことができる。

5 | ポートレートの照明や ぼけ具合を変更する

ポートレートモードで撮影した写真は、編集画面で照明エフェクトを変更できるほか、上部の「f」ボタンで被写界深度も変更できる。

6 | 他のアプリの フィルタを適用する

編集画面で上部の「…」をタップすると、インストール済みの他の写真編集アプリのフィルタ機能を呼び出し、適用することができる。

操作❹ 撮影したビデオを編集、加工する

1 | ビデオの不要な 部分をカットする

ビデオを開いて「編集」をタップ。タイムラインの左右端をドラッグすると表示される黄色い枠で、カット編集する位置を指定できる。

2 | フィルタや傾き 補正を適用する

「調整」「フィルタ」「切り取り」ボタンをタップすると、それぞれで色合いを調整したり、フィルタや傾き補正を適用できる。ビデオもトリミング機能で構図を整えることができる。

💡 使いこなしヒント

Live Photosの エフェクトを変更する

動く写真「Live Photos」の場合は、左上の「LIVE」をタップすると、エフェクトを「ループ（繰り返し再生）」「バウンス（再生と逆再生の繰り返し）」「長時間露光（長時間シャッターを開いたときの効果）」に変更できる。

操作❺ iCloudに写真を保存する

1 | iCloud写真をオンにする

「設定」→「写真」→「iCloud写真」をオンにすれば、すべての写真やビデオがiCloudに保存される。ただしiCloudの空き容量が足りないと機能を有効にできない。

2 | 端末の容量を節約する設定

「設定」→「写真」→「iPadのストレージを最適化」にチェック。「オリジナルをダウンロード」を選択すると、iCloudとiPadの両方にオリジナルのデータが保存される

iCloud写真がオンの時、「iPadのストレージを最適化」にチェックしておけば、オリジナルの写真はiCloud上に保存して、iPadにはデータサイズを縮小した写真を保存できる。

3 | 写真アプリの内容は特に変わらない

iCloud写真をオンにしても写真アプリの内容は特に変わらない。ただし、同じApple IDのiPhoneなどでiCloud写真を有効にしていると、写真の削除などの変更が同期されるので要注意。

操作❻ その他写真アプリの便利な機能

1 | 複数の写真に同じ編集結果を適用する

写真に編集を加えたら、上部の「…」→「編集内容をコピー」をタップ

同じ編集を加えたい写真を複数選択し、右下の「…」→「編集内容をペースト」をタップ

写真に対して行った一連の編集内容は、コピーして他の写真にペーストすることで、同じ編集内容を複数の写真にまとめて適用できる。ただし、トリミングや傾き修正はコピーされない。

2 | 写真に写っている被写体を切り抜く

被写体をロングタップすると自動で切り抜かれ、ステッカーに追加することもできる（P095で解説）。なお、切り抜き範囲は自動で判定され自分で調整できない

人物や動物、建築物、料理、図形などの被写体をロングタップし、キラッと光るエフェクトが表示されたあとに指を離すと、上部のメニューで切り抜いた写真のコピーや共有ができる。

3 | 切り抜いた写真をドラッグ&ドロップする

被写体をタッチしたまま、別の指でホーム画面に戻り、他のアプリを起動する

別のアプリにドロップして貼り付け

切り抜いた写真をドラッグ&ドロップで貼り付け！

被写体を切り抜いた際は、一度指を離してメニューから操作しなくても、そのまま指を動かせばドラッグが可能だ。別の指で他のアプリを起動し、被写体をドロップして添付しよう。

4 | 写真に写った文字をテキストとして利用する

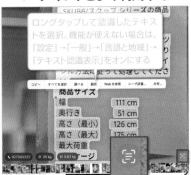

ロングタップして認識したテキストを選択。機能が使えない場合は、「設定」→「一般」→「言語と地域」→「テキスト認識表示」をオンにする

写真を開いて右下のテキスト認識ボタンをタップすると、写り込んだテキストや手書き文字が認識される。テキストをロングタップして選択状態にするとコピーして利用できる。

5 | 認識したテキストを翻訳する

テキストを選択して「翻訳」をタップすると翻訳結果が表示される

テキスト認識ボタンをタップして表示されるメニューで「翻訳」をタップすると、他の言語に翻訳できる。翻訳結果を下にスクロールすると、翻訳のコピーや言語の変更も可能だ。

6 | カメラに写った画面の文字も認識できる

タップ

写真を撮影せずとも、書類などにiPadのカメラを向け、画面内のテキスト認識ボタンをタップするだけで、カメラに表示中の文字を認識し、コピーや翻訳が可能になる。

ミュージック

Apple Musicも利用できる標準の音楽プレイヤー

端末内の曲もクラウド上の曲もまとめて扱える

「ミュージック」は、音楽配信サービス「Apple Music」の曲やパソコンから取り込んだ曲、iTunes Storeで購入した曲を、まとめて管理できる音楽再生アプリだ。Apple Musicの利用中は、サイドバーの「今すぐ聴く」で好みに合った曲を提案してくれるほか、「見つける」で注目の最新曲を見つけたり、「ラジオ」でネットラジオを聴ける。

さらにApple Musicでは、「ライブラリを同期」という機能も使える。これは、iPadやiPhoneの曲、パソコンのiTunes（Macではミュージックアプリ）で管理している曲を、すべてiCloudにアップロードして同期する機能で、いちいちケーブルで接続してiPadに転送しなくても、いつでも自宅パソコンの曲をストリーミング再生したりダウンロード保存できるのだ。ただしApple Musicを解約すると、iCloudの同期している曲は削除され、再生できなくなるので要注意。パソコンにある元の曲は消さないようにしよう。

使い始め POINT! すべての曲はライブラリ画面で管理する

ミュージックアプリでは、音楽CDから取り込んだ曲や、パソコンから転送したMP3などの曲ファイル、Apple Musicから追加した曲、iTunes Storeで購入した曲など、すべての曲をサイドバーの「ライブラリ」画面で管理できるようになっている。ファイルの種類や元の場所、曲が端末内にあるかストリーミング再生かといった違いを意識することなく、ライブラリで同じように扱うことが可能だ。P076-077で解説しているミュージックアプリの操作は、これらすべての曲を操作する方法となる。Apple Musicの登録方法や特有の操作についてはP078で、パソコンで音楽CDを取り込んでiPadに転送する手順についてはP079で解説する。

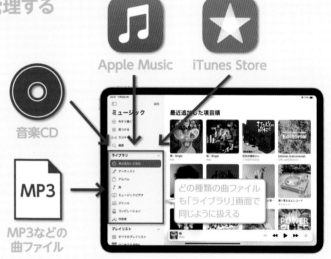

Apple Music　iTunes Store

音楽CD

MP3などの曲ファイル

どの種類の曲ファイルも「ライブラリ」画面で同じように扱える

操作❶ ライブラリから曲を再生する

1 ライブラリから曲を探す

ライブラリのカテゴリをタップ

画面を左端から右にスワイプしてサイドバーを開き、「ライブラリ」のアーティストやアルバムなどのカテゴリから聴きたい曲を探そう。

2 曲名をタップして再生を開始する

曲名をタップして再生

ミニプレイヤーをタップすると再生画面表示

曲名をタップすると、すぐに再生が開始される。画面下部にミニプレイヤーが表示され、一時停止や曲をスキップといった操作が可能だ。

3 再生画面を開いてコントロールする

画面を下にスワイプすると再生画面を閉じる

ミニプレイヤー部をタップすると再生画面が開く。アルバムジャケットが表示されるほか、シークバーや音量バーなども表示される。

操作❷　ミュージックアプリで行えるさまざまな操作と機能

1 ロングタップメニューで さまざまな操作を行う

アルバムや曲をロングタップすると、削除やプレイリストへの追加、共有、好みの曲として学習させるラブ機能などのメニューが表示される。

2 歌詞をカラオケの ように表示する

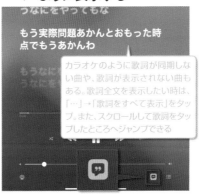

再生画面右下の歌詞ボタンをタップすると、カラオケのように、曲の再生に合わせて歌詞がハイライト表示される。

3 音声出力先を 切り替える

再生画面左下の出力先切り替えボタンをタップすると、BluetoothスピーカーやAirPlay対応デバイスに音声を出力できる。

4 「次はこちら」 リストを表示する

再生画面右下のボタンをタップすると、「次に再生」リストが表示される。リストの曲をタップすると、その曲が再生される。

5 曲やアルバムを シャッフル、リピートする

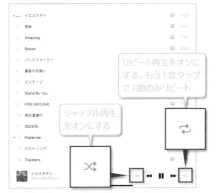

再生中の曲、アルバム、プレイリストは、ミニプレイヤー部のボタンでシャッフル再生したり、リピート再生を行える。

6 ダウンロード済みの 曲やアルバムを削除

「ダウンロードしたものを削除」で端末から削除。iTunes Storeで購入した曲の場合、「ライブラリから削除」してしまうと、購入履歴からも消えてしまい再ダウンロードが面倒になるので注意しよう。パソコンのiTunes（Macではミュージックアプリ）で非表示の購入済みアイテムを再表示させると、再ダウンロードが可能になる

Apple MusicやiTunes Storeでオフラインでも聴けるように保存した曲は、「削除」→「ダウンロードしたものを削除」で削除できる。端末内から削除するだけなので、いつでも再ダウンロードできる。

標準アプリ完全ガイド

操作❸　好みの曲だけのプレイリストを作成する

1 新規プレイリストを 作成する

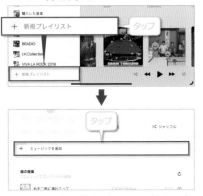

サイドバー下部の「新規プレイリスト」をタップし、名前を付けて「作成」。続けて「ミュージックを追加」をタップする。

2 曲を選んで 追加していく

アルバムや曲の選択画面になるので、プレイリストに追加したい曲を選択していこう。各項目の右端にある「＋」ボタンをタップすればよい。

3 プレイリストを 編集する

作成したプレイリストを開いて、右上の「…」→「編集」をタップすると、プレイリストに新しい曲を追加したり、再生順を並べ替えられる。

Apple Musicを使ってみよう

　世界中の約1億曲が聴き放題になる、Appleの定額制音楽ストリーミング配信サービスが「Apple Music」だ。新人アーティストの最新曲から過去の定番曲まであらゆる楽曲を、iPhoneやiPad、Macのミュージックアプリや、WindowsのiTunesを使って楽しめる。プランは3種類用意されており、もっとも一般的な個人プランの場合は月額1,080円（税込）で利用できる。ファミリープランで契約すると、月額1,680円（税込）で家族6人まで利用可能だ。初回登録時は1ヶ月間無料で利用できるので、気軽に登録して使ってみよう。

1 | Apple Musicに登録する

まずは「設定」→「ミュージック」→「Apple Musicに登録」でApple Musicに登録しよう。初回登録時は1ヶ月無料で試用できる。

使いこなしヒント

Apple Musicの自動更新をオフにする

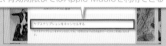

タップして自動更新をオフ。なお、初回の無料トライアル期間中にキャンセルすると、Apple Musicは即座に利用できなくなる。有料で利用中にキャンセルすると、有効期限まではApple Musicを利用できる

Apple Musicメンバーシップの自動更新を停止するには、「今すぐ聴く」画面のユーザーボタンをタップし、「サブスクリプションの管理」→「サブスクリプションをキャンセルする」をタップ。試用期間後に自動更新で課金したくないなら、この操作でキャンセルしておこう。

2 | 契約するプランを選択する

家族で利用する場合や、複数の端末で同時に再生したい場合（同時に再生しなければ、個人プランでも複数端末で利用可能）は「ファミリー」を選択しよう。「学生」は在学証明が必要なプラン

「プランをさらに表示」をタップすると、「個人」「ファミリー」「学生」プランから選択できる。通常は「個人」で契約しよう。

3 | ライブラリの同期を有効にする

まずは、「設定」→「ミュージック」→「ライブラリを同期」をオンにし、Apple Musicの曲をライブラリに追加できるようにしておく。

4 | Apple Musicの配信曲を検索する

上部のタブで検索結果を絞り込める。「アーティスト」タブでアーティスト名をタップし、そのアーティストの専用ページで最新曲やアルバムを探す方法がおすすめ

サイドバーの「検索」でキーワード検索すると、上部のタブで「アーティスト」「アルバム」「曲」などを絞り込める。「ミュージックビデオ」にはライブ映像などもある。

5 | Apple Musicの曲をライブラリに追加

タップしてダウンロードすればオフラインでも再生できるようになる

アルバムは「＋」ボタンを、曲は「…」→「ライブラリに追加」をタップするとライブラリに追加できる。追加後はダウンロードボタンをタップすると端末内に保存できる。

6 | 自動ダウンロードを有効にする

Wi-Fiモデルの場合は、オフラインでどこでも聴けるように、自動ダウンロードをオンにしておくのがおすすめ

「設定」→「ミュージック」→「自動的にダウンロード」をオンにしておくと、ライブラリに追加した曲が自動でダウンロードされるようになる。

使いこなしヒント

パソコンの曲をいつでもiPadで聴けるようにする

Apple Musicの利用中は、パソコンのiTunesで「編集」→「環境設定」→「一般」→「iCloudミュージックライブラリ」（Macでは「ミュージック」→「環境設定」→「一般」→「ライブラリを同期」）にチェックしておこう。音楽CDから取り込んだ曲などがすべてiCloudにアップロードされ、iPadからも再生できる。

操作❺　音楽CDの曲をiTunesに取り込む

1 ｜ パソコンにiTunesを インストールする

iTunes
https://www.apple.
com/jp/itunes/

音楽CDの楽曲は、パソコンのiTunesを使って取り込むことができる。まずは公式サイトから、Windows用のiTunes最新版をダウンロードし、インストールを済ませよう。なおMacの場合は、標準搭載されている「ミュージック」アプリで取り込むことが可能だ。

2 ｜ 「読み込み設定」を クリック

iTunesを起動したら、まず「編集」→「環境設定」をクリックし、「一般」タブの「読み込み設定」ボタンをクリックする。

3 ｜ ファイル形式や 音質を設定する

ここでCDインポート時のインポート方法（AACやMP3、Appleロスレスといったファイル形式）や音質などの設定を選択したら、「OK」で設定完了。標準の「AAC」と「iTunes Plus」の組み合わせがおすすめだ。

4 ｜ 音楽CDを セットする

音楽CDをパソコンのドライブにセットすると、iTunes上に曲のタイトルなどが表示される。「〜iTunesライブラリに読み込みますか？」と表示されたら「はい」をクリックしよう。

5 ｜ 全曲インポート されるまで待つ

音楽CD内の曲がiTunes内に取り込まれ、ファイルとして変換されていく。すべての曲に緑色のチェックマークが付くまで、しばらく待とう。なお、曲名やアーティスト名なども自動的に設定される。

6 ｜ インポートされた曲を 確認する

取り込みが終了したら、画面左上のメニューボタンを「ミュージック」に切り替えて、「ライブラリ」タブを開く。インポートした曲が、きちんとライブラリ内にあるか確認しよう。問題なければインポート作業は完了だ。

操作❻　取り込んだ音楽をiPadに転送する

1 ｜ Apple Musicの利用中 は自動で同期

Apple Musicを利用中で、iTunesの「iCloudミュージックライブラリ」も有効にしておけば（P078で解説）、iTunesに取り込んだ曲は自動的にiCloudにアップロードされるので、特に何もしなくてもiPadで再生できる。

2 ｜ Apple Musicを使って いない時の同期

Apple Musicを使っていないなら、パソコンと接続してiTunes（MacではFinder）でiPadの管理画面を開き、「ミュージック」→「ミュージックを同期」にチェック。続けて「選択したプレイリスト〜」にチェックし、iPadに取り込んだアルバムを選択してして同期しよう。

3 ｜ ドラッグ＆ドロップ でも転送できる

ライブラリ画面で取り込んだアルバムを選び、左の「デバイス」欄に表示されているiPadにドラッグ＆ドロップして、このアルバムだけ手動で転送することもできる。

標準アプリ完全ガイド

メモ

意外と多機能な標準メモアプリ

**写真やビデオを添付したり
手書きでスケッチもできる**

標準の「メモ」はシンプルで使いやすいメモアプリだ。思い浮かんだアイデアを書き留めたり、デザインのラフイメージを手書きでスケッチしたり、レシートや名刺を撮影してまとめて貼り付けるなど、さまざまな情報をさっと記録しておくことができる。作成したメモはiCloudで同期されるので、iPhoneやMacでも同じメモを表示、編集できる。他にも、メモを他のユーザーと共同編集したり、写真の被写体や手書き文字も含めてキーワード検索できるなど、シンプルな見た目に反して意外と多機能なアプリとなっている。また、ホーム画面や他のアプリの画面上など、どんな画面からでも小型ウインドウで素早くメモを呼び出せる「クイックメモ」機能も備えている。Webページ中のテキストをリンクとともに保存したり、FaceTimeでのビデオ会議中にメモを残すなど、いろいろなシーンで活用できるので使いこなしてみよう。

使い始め
POINT! 他のアプリ上でも使える「クイックメモ」

Apple Pencilまたは指で画面右下から斜めにスワイプ。指で操作するには、「設定」→「メモ」→「隅のジェスチャ」で「指で隅からスワイプを許可」をオンにする。なお、ステージマネージャ(P030で解説)がオンの場合は、指での操作は無効となる

iPadでは、どの画面からもすばやくメモを開いて書き込むことができる「クイックメモ」機能が使える。ホーム画面や他のアプリを使用中に、画面右下の角から左上に向かって、指やApple Pencilでフリックしてみよう。すぐにクイックメモの画面が開き、テキストや手書きでメモを作成できる。Webページやページ内のテキストとリンクさせることも可能だ。作成したクイックメモは、メモアプリの「クイックメモ」フォルダに保存される。

**クイックメモを
一時的に隠す**

画面端にドラッグして隠す

タップすると元の画面に戻る

クイックメモは、ピンチイン／アウトでサイズを変更できるほか、上部のバーをドラッグして位置を動かせる。また上部のバーを画面の端にドラッグすると、クイックメモが一時的に隠れる。小さく表示されたハンドルをタップすると元の画面に戻る。

操作①　クイックメモの使い方と機能

1 クイックメモの
基本的な操作

クイックメモを開いたら、右上のボタンで新規メモを作成できる。左上の「完了」をタップすると保存して終了する。

2 写真やリンクを
ドラッグして追加

アプリ上の写真やテキスト、リンクなどをクイックメモへドラッグ&ドロップで貼り付けることができる。

3 選択したテキストの
リンクを追加する

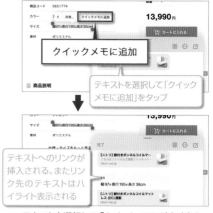

テキストを選択して「クイックメモに追加」をタップすると、選択したテキストと、そのテキストへのリンクをクイックメモ内に追加できる。

操作❷ メモアプリの機能を使いこなす

1 写真やビデオを貼り付ける

上部のカメラボタンをタップすると、写真やビデオを撮影したり、写真アプリから選択してメモに貼り付けることができる。

2 手書きで文字やイラストを描く

ペンをタップするとカラーや太さを変更できる。「A」と書かれたペンは手書き文字を自動でテキスト変換するスクリブル機能（P088で解説）。他にアンドゥとリドゥボタンや、ペン、蛍光ペン、鉛筆、消しゴム、投げ縄ツール、ルーラ（定規）ツール、カラーピッカーなどがある。指で描画したい時はツール一覧右端の「…」→「指で描画」をオン

上部のマークアップボタンをタップするとマークアップツールが表示され、Apple Pencilや指を使って手書きで文字やイラストを描ける。

3 手書きの図形を自動で整える

図形を描き終えたらしばらく指やApple Pencilを停止

手書きで円や四角、星型を描いたら、描き終えた位置で指やApple Pencilを画面から離さずしばらく停止させよう。自動的にきれいに整えた図形に変換してくれる。

4 ドラッグやコピーも可能

手書き文字を選択して「テキストとしてコピー」をタップすると、スクリブル機能によってテキストに変換してコピーできる（P088で解説）

描いた文字やイラストは投げ縄ツールで囲むと、ドラッグして移動したり、タップして表示されるメニューでコピーもできる。

5 他のユーザーと共同で編集する

共有ボタンをタップし、この部分を「共同制作」に変更した上で、メールやメッセージで参加依頼を送信しよう。なお、相手の編集が反映されるまでタイムラグがあるので、オンラインホワイトボードのような用途には不向きだ

他のユーザーとメモを共同編集することもできる。共有ボタンのメニューを「共同制作」に変更し、共有したいユーザーを招待しよう。

6 共有メモの履歴と名前の言及

すべてのユーザーの変更履歴を表示する

「@（相手の名前）」で相手に通知が届き、アクティビティ表示でも確認できる

@青山太郎

共有中のメモは、上部のユーザーボタンから変更履歴を確認できる。またメモ内で「@」に続けて共有中の相手の名前を入力すると、その相手には通知が届きメッセージを伝えられる。

7 作成したメモを管理する

クイックメモが保存されるフォルダ

検索欄ではメモ内の手書き文字や添付した写真も検索できる

左端から右にスワイプ

画面の左端から右にスワイプするとメモが一覧表示され、さらに右にスワイプするとフォルダが一覧表示される。フォルダ一覧の左下のボタンで新規フォルダを作成し、メモを整理しておこう。

8 作成したメモを操作する

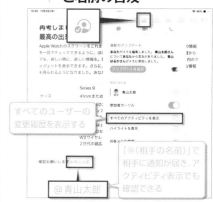

左右にスワイプ

ロングタップしてメニューを表示

メモを左右にスワイプするか、ロングタップしてメニューを表示すると、ピンで固定してリストの一番上に表示したり、フォルダ移動や削除といった操作を行える。

9 他のメモへのリンクを設定する

テキストを選択して「リンクを追加」をタップ。リンク追加後は選択して「リンクを削除」で削除できる

リンク先のメモタイトルを入力。タイトルは一部を入力すれば候補から選択できる

リンクしたいテキストをロングタップし、表示されるメニューから「リンクを追加」をタップ。「リンク先」欄にメモのタイトルを入力すると、そのメモへのリンクを設定できる。

標準アプリ完全ガイド

カレンダー

iPadで効率的にスケジュールを管理する

iCloudカレンダーやGoogleカレンダーと同期して使おう

「カレンダー」は、仕事や趣味のイベントを登録していつでも予定を確認できるスケジュール管理アプリだ。まずは「仕事」や「プライベート」といった、用途別のカレンダーを作成しておこう。作成したカレンダーに、「会議」や「友人とランチ」などイベントを登録していく。カレンダーは日、週、月、年で表示モードを切り替えでき、イベントのみを一覧表示してざっと確認することもできる。また作成したカレンダーやイベントはiCloudで同期され、iPhoneやMacでも同じスケジュールを管理可能だ。なお、会社のパソコンやAndroidスマートフォンでGoogleカレンダーを使っている人は、「設定」→「カレンダー」→「アカウント」でGoogleアカウントを追加し、「カレンダー」のスイッチをオンにしておこう。Googleカレンダーが同期され、Googleカレンダーで作成した「仕事」などのカレンダーに、iPadから予定を作成できるようになる。

使い始め POINT! イベントを保存する「カレンダー」を用途別に作成する

まずは、必要に応じて「仕事」や「英会話」のように用途別のカレンダーを作成しておこう。たとえば「打ち合わせ」というイベントは「仕事」カレンダーに保存するといったように、イベントごとに作成したカレンダーに保存して管理できる。また作成したカレンダーはiCloudで同期されるので、iPadで作成したカレンダーやイベントをiPhoneやMacで表示したり、iPhoneやMacで作成したカレンダーやイベントもiPadで確認できる。

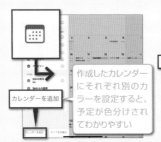

作成したカレンダーにそれぞれ別のカラーを設定すると、予定が色分けされてわかりやすい

左上のカレンダーボタンをタップして一番下の「カレンダーを追加」ボタンをタップし、「仕事」「英会話」など用途別のカレンダーをiCloud上に作成しておこう。

「設定」一番上のApple IDを開き、「iCloud」→「すべてを表示」→「カレンダー」をオンに

iPhoneやMacでカレンダーを使っていて、iCloudと同期している場合は、iCloudでカレンダーのスイッチをオンにするだけで、作成済みのカレンダーやイベントが同期して表示される。

チェックしたカレンダーのイベントが表示される

同期したカレンダーの予定がカレンダーアプリに表示されない場合は、左上のカレンダーボタンをタップしてチェックを確認しよう。

操作❶ 表示形式の変更とイベントの作成

1 | カレンダーを見やすい表示モードに切り替える

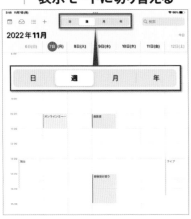

カレンダーアプリを起動したら、上部メニューで「日」「週」「月」「年」表示モードに切り替えることができる。

2 | 新規イベントを作成する

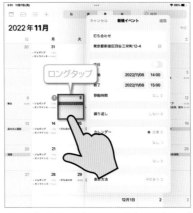

ロングタップ

左上の「+」をタップするか日付をロングタップすれば、新規イベントの作成画面が開く。予定を入力したら右上の「追加」をタップして作成。

3 | イベント内容を編集、削除する

タップ

追加したイベントをタップすると詳細表示。目的地をマップで確認できるほか、右上の「編集」で内容を編集したり「イベントを削除」で削除できる。

ファイル
クラウドサービスやアプリのファイルを一元管理

**ドラッグ&ドロップで複数の
サービスのファイルを操作**

「ファイル」は、iCloud Drive、Google Drive、Dropboxといった対応クラウドサービスと、一部の対応アプリ内にあるファイルを一元管理するためのファイル管理アプリだ。クラウドサービスの公式アプリや対応アプリがiPadにインストール済みであれば、サイドバーの「場所」欄にサービス名が表示され、タップして中身のファイルを操作できる。表示されない場合は、「…」→「サイドバーを編集」をタップして表示したいサービスをオンにしておこう。ファイルアプリを使えば、他のサービスにファイルをドラッグ&ドロップで移動したり、タグを付けて複数サービスのファイルを横断管理するといった操作が簡単に行えるようになる。また、iPadに接続したUSBメモリやSDカードなどの外部ストレージにもアクセスできるほか、ZIPファイルを圧縮／解凍したり、SMBサーバーへの接続機能でパソコンの共有フォルダやNASなどに接続することもできる。

使い始め POINT! よく使うクラウドを追加する

Dropboxなどよく使うクラウドサービスがあれば、「ファイル」アプリでアクセスできるように追加しておこう。メールアプリでファイルを添付する際に、iCloud以外のクラウドサービスからも直接ファイルを取り込めるようになる。逆にあまり使っていないサービスは非表示にした方がスッキリして使いやすい。

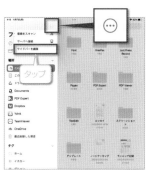

画面の左端から右にスワイプするか左上のボタンをタップすると、サイドバーが開く。上部の「…」→「サイドバーを編集」をタップしよう。

iPadにインストール済みのクラウドサービスや対応アプリが一覧表示される。Dropboxなどよく使うサービスのスイッチをオンにしておこう。

メールアプリでファイルを添付する際に、ファイルアプリに追加したクラウドサービスから直接ファイルを取り込んで添付できるようになる。

操作❶ ファイルアプリの基本操作

1 ロングタップでファイルを操作する

ファイルやフォルダをロングタップするとメニューが表示され、コピーや移動、詳細情報の表示、タグの設定や圧縮といった操作を行える。

2 ファイルを圧縮、解凍する

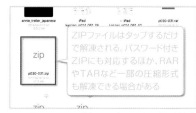

ファイルやフォルダをロングタップし、「圧縮」をタップするとZIPで圧縮できる。ZIPファイルはタップすると、すぐにその場に解凍される。

3 ファイルにタグを付けて整理する

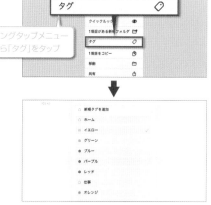

ファイルにタグを付けて整理しておけば、サイドメニューの「タグ」を選択するだけで、複数の場所のファイルを横断管理できる。

標準アプリ完全ガイド

その他の標準アプリ

Appleならでは洗練された便利ツールの数々を使ってみよう

健康状態をまとめて管理

 ヘルスケア

服薬や月経周期のスケジュールを登録できるほか、iPhoneやApple Watchと連携して、毎日の運動や睡眠、心拍数など健康状態をまとめて管理できる。

電子書籍を購入して読める

 ブック

電子書籍リーダー&ストアアプリ。キーワード検索やランキングから、電子書籍を探して購入できる。無料本も豊富に用意されている。

ルーペ機能で小さな文字を拡大

 拡大鏡

iPadのカメラを使って細かい文字などを拡大表示できるアプリ。シャッターボタンをタップすると表示中の画面を固定してじっくり確認することができる。

---

iPadの便利技や知られざる機能を紹介

 ヒント

iPadの使い方や機能を定期的に配信するアプリ。ちょっとしたテクニックや便利なTipsがまとめられている。意外な機能を発見できることも。

カメラが捉えた物体のサイズを計測

 計測

AR機能を使って、カメラが捉えた被写体の長さや面積を測定できるアプリ。円の中の丸印を開始位置と終了位置に合わせて長さを計測できる。

アラームやタイマーを利用できる

 時計

世界時計、アラーム、ストップウォッチ、タイマーが使える時計アプリ。寝る前に音楽を流しながらタイマーをセットし、指定時間後に再生を停止できる。

ラジオやビデオ番組を楽しめる

 Podcast

ネット上で公開されている、音声や動画を視聴できるアプリ。主にラジオ番組やニュース、英会話などの教育番組が配信されている。

さまざまな標準アプリと連携できる

 マップ

標準の地図アプリ。スポットの検索はもちろん、車／徒歩／交通機関でのルート検索を行えるほか、音声ナビや周辺施設の検索機能なども備えている。

さまざまなエフェクトで写真を楽しむ

 Photo Booth

サーモグラフィーやミラー、光のトンネル、渦巻き、引き延ばしなど、8種類のエフェクトを適用して、一風変わった写真を撮影できるアプリ。

Homekit対応機器を一元管理する

 ホーム

「照明を点けて」「電源をオンにして」など、Siriで話しかけるだけで家電を操作できる「Homekit」を利用するためのアプリ。

株価や市場ニュースをチェック

 株価

銘柄を検索してウォッチリストに登録しておけば、日々の株価情報やチャートを素早くチェックできるアプリ。主な市場ニュースもアプリ内で読める。

さまざまな映画やドラマを楽しむ

 Apple TV

オリジナルのドラマ作品など配信するサブスクリプションサービス「AppleTV+」を利用したり、映画やドラマを購入またはレンタルして視聴できるアプリ。

紛失した端末や友達を探せる

 探す

紛失したiPhoneやiPadを探したり、家族や友達の現在位置を調べることができるアプリ。遠隔操作でサウンドを鳴らしたり、データを消去することも可能。

やるべきことを忘れず通知

 リマインダー

覚えておきたいことを登録しておけば、しかるべきタイミングで通知してくれるタスク管理アプリ。指定エリアに移動した際に通知させることもできる。

11言語対応の翻訳アプリ

 翻訳

11言語を相互に翻訳できるアプリ。翻訳したい2つの言語を選択し、マイクボタンをタップして話せば、発言が翻訳され音声で再生される。

音楽や映画を購入できる

 iTunes Store

オンラインで音楽を購入したり、映画を購入・レンタルできるAppleの配信サービスを利用するためのアプリ。映画の再生はApple TVで行う。

複雑な操作をまとめて実行できる

 ショートカット

よく行う複数の操作を登録しておけば、まとめて自動実行できるアプリ。Siriに指示したり、ウィジェットをタップするだけで操作が実行される。

ワンタップで録音できる

 ボイスメモ

iPad本体のマイクを使って周囲の音声を録音できるアプリ。アプリを起動したら、赤い丸ボタンをタップするだけですぐに録音が開始される。

何でも書き込めるホワイトボードアプリ

 フリーボード

テキストや手書き文字、画像、音声、動画、付箋、ファイルなどを、複数のメンバーで自由に書き込めるホワイトボードアプリ。詳しくはP095で解説する。

section

03

iPad
活用テクニック

iPadOSの隠れた便利機能や必須設定、
使い方のコツなど、さらに便利に快適に
活用するためのテクニックが満載。
また、Apple Pencilやおすすめアプリの
使い方もしっかり解説している。

01

一度使えば手放せなくなる

Apple Pencilで最高の手書き環境を手に入れよう

iPadを持っているなら、Apple Pencilを一度は試していただきたい。ちょっとしたメモから本格的なイラスト、書類への指示入力など、紙とボールペンに匹敵するスムーズな書き心地で手書き処理を行える。特に第2世代のApple Pencilは、本体側面にマグネットで取り付けるだけでペアリングと充電を行えるほか、ダブルタップしてツールを切り替えられるなど、さらに劇的な進化を遂げている。

●Apple Pencilの特徴と基本的な操作法

iPad側面に取り付けてペアリング&充電

Apple PencilをiPadの右側面に取り付けると、画面上部に「Apple Pencil」およびバッテリー残量が表示されペアリングが完了。すぐに使い始めることができる。取り付ける際、Pencilの向きは上下どちらでもよい。また、側面に取り付けることで充電も行われる。

Apple Pencil(第2世代)
価格 19,880円(税込)
対応モデル
iPad Air(第4世代以降)、iPad mini(第6世代以降)、12.9インチiPad Pro(第3世代以降)、11インチiPad Pro

※オンライン購入に限り、無料の刻印メッセージサービスを利用できる。

Apple Pencil
60% ⚡

iPad側面に取り付けると「Apple Pencil」と表示され、続けてバッテリー残量を表示

使用中に電池残量を確認する方法

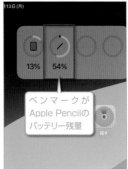

13% 54%

ペンマークがApple Pencilのバッテリー残量

ホーム画面の好きな場所に「バッテリー」のウィジェットを配置しておけば、本体のバッテリー残量などと共に、Apple Pencilのバッテリー残量を確認できる。

ダブルタップでツール変更

第2世代Apple Pencilでは、(対応アプリに限り)人差し指や親指で側面をダブルタップして、ペンと消しゴムなど使用ツールを切り替えることができる。「設定」→「Apple Pencil」でダブルタップ時の動作を選択できる。カラーパレットの表示に使用することも可能だ。

タイムラグゼロで圧力も繊細に感知

ペンでタッチしてから描画されるまでタイムラグが少なく、筆圧で線の太さを変えたり、ペンの傾きで濃淡を表現できる。また、第2世代のApple Pencilと、M2チップ搭載のiPad Pro(12.9インチ第6世代と11インチ第4世代)の組み合わせなら、画面の最大12mm上でペン先を検知しより高い精度で描画できる。

●メモアプリでApple Pencilを使う

テキストや写真と手書きを混在

描画を挿入したい場所をApple Pencilでタップ。描画モードに切り替わり、メモなどを手書き入力できる。また、メモに挿入された写真をタップすると、マークアップ機能で写真上に手書きで文字や注釈を書き込むことができる。

第1世代では、尾軸キャップを外すとLightningコネクタが出現。iPadのコネクタに差し込むか、変換アダプタを使ってケーブル充電する。

第1世代もチェック
Apple Pencil(第1世代)
価格 14,880円(税込)
対応モデル iPad Air(第3世代)、iPad mini(第5世代)、iPad(第6〜9世代／第10世代は変換アダプタが必要)、12.9インチiPad Pro(第1、第2世代)、10.5インチiPad Pro、9.7インチiPad Pro

USB-Cで充電とペアリングを行える最も安価なモデル。筆圧を感知できないので、繊細で本格的なイラスト制作には向かない。

USB-Cモデルも新登場
Apple Pencil(USB-C)
価格 12,880円(税込)
対応モデル iPad Air(第4世代以降)、iPad mini(第6世代以降)、12.9インチiPad Pro(第3世代以降)、11インチiPad Pro、iPad(第10世代)

◉ Apple Pencil対応のおすすめアプリ

PDFに注釈を加えるならこのアプリ!

PDF Expert
作者 Readdle Inc.
価格 無料

ビジネス書類の定番フォーマット「PDF」。この「PDF Expert」は、PDF上へフリーハンドで指示を書き込んだり、テキストへハイライトやラインを引くなど、さまざまな注釈を加えられるアプリだ。有料のプロ版へ登録すればPDF内のテキスト編集も行える。なお、本書の制作においても、ページラフの作成や校正でPDF Expertを多用している。Apple Pencilとの相性も抜群だ。

各種クラウドに対応
iCloud や Dropbox、Googleドライブ、OneDrive などのクラウドへもアクセス可能。書類の管理や共有もストレスなく行える。

ペンツールを使ってフリーハンドで指示を書き込む。本書の校正でもPDF Expertが大活躍。なお、書き加えた注釈は、パソコンで開いても問題なく表示される

1 ペンとマーカーを利用できる

ペンとマーカーが用意されている。マーカーも太さを細くし、不透明度を100%にすれば、ペンと同様の線を描画できる。また、Apple Pencilのダブルタップで、消しゴムと切り替え可能だ。

2 範囲選択して線や文字を消去

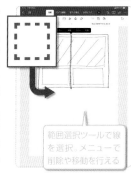

範囲選択ツールで線を選択。メニューで削除や移動を行える

例えば黒い線と赤い線が交わっているような場合、消しゴムツールで片方の線だけ消すのは難しい。そんな時は、範囲選択ツールで線を選択し、「削除」をタップしよう。

3 文字にハイライトや取り消し線を加える

ハイライトなどを消したい場合は、タップしてメニューを開き、「消去」をタップすればよい

文字をなぞってハイライトや取り消し線を加えることも簡単。ツールの色も自由に変更できる。

4 ページの削除や追加並べ替えも可能

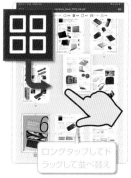

ロングタップしてドラックして並べ替え

画面上部の四角が4つ並んだボタンから「編集」をタップすると、ページの削除や並べ替えなどを行える。

「スマート注釈」機能が秀逸!

Pages
作者／Apple
価格／無料

Apple 純正の文書作成アプリ。高機能なテキスト編集能力に加え、写真や図表などを挿入して柔軟なページレイアウトも行える。Word との互換性もある。

スマート注釈を利用

画面右上の「…」→「スマート注釈」をタップすると、スマート注釈モードで注釈を書き込める。例えばこの誤字修正の指示。テキストを編集して修正位置が変わっても、注釈が合わせて移動する

「スマート注釈」機能を使えば、文章中に手書きで注釈を入れられるだけでなく、文章の変更に対して注釈の位置が常に追随する。

本格的なイラストレーションに!

Adobe Fresco
作者／Adobe Inc.
価格／無料

iPad Pro と Apple Pencil 用に開発された、アドビのイラストアプリ。プロ向けの多彩な機能を備え、アナログ感覚で本格的なイラストや油彩画や水彩画を描ける。

3タイプのブラシで描画

Photoshop のピクセルブラシ、Illustrator のベクターブラシに加え、にじみや混色や重ねも表現できるライブブラシを同時に扱える。

iPad活用テクニック

02

スクリブル

手書き文字をテキストに変換する

Apple Pencilを使って
手書きで文字入力を行う

iPadでは、Apple Pencilで手書きした文字をテキストに自動変換する「スクリブル」機能を利用できる。たとえば手書きしたノートに名前を付けて保存する際など、いちいちキーボードを表示しなくてもApple Pencilだけで操作が完結する。メールやメモ、検索欄など、文字を入力できる場所であれば基本的にスクリブルで入力でき、日本語入力も可能だ。またテキストの削除や挿入など、簡単な編集もApple Pencilのみで行える。

● Apple Pencilでテキストの入力や編集ができる

Apple Pencilで文字を手書きする。入力欄から多少はみ出しても問題なく認識される

手書きした文字が自動的にテキストに変換される

Safariの検索欄などにApple Pencilで文字を手書きすると、すぐにテキストに変換される。日本語と英語の混在も可能だ。日本語をうまく入力できないときは、下で解説している通り、スクリブル入力時に表示されるスクリブルツールバーの入力言語を「日本語」に変更すればよい。右で解説している通り、テキストの挿入や削除といった編集もApple Pencilで行える。

テキストを削除する

こすった部分が消える

テキストをグシャグシャとこすって雑に塗りつぶすと、こすった部分のテキストが削除される。

テキストを範囲選択する

文字が範囲選択される

テキストの上に線を引くと、線を引いたテキストが範囲選択される。テキストを円で囲んでもよい。

テキストを挿入する

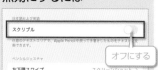

手書き文字が挿入される

テキストをロングタップすると、その場所に入力フィールドが表示され、手書きでテキストを挿入できる。

スクリブル機能を無効にするには

オフにする

スクリブル機能を使わないなら、「設定」→「Apple Pencil」→「スクリブル」のスイッチをオフにする。なお、オンのときは「スクリブルを試す」で入力や編集の操作を確認できる。

● スクリブル入力時の操作とメニュー

メモアプリでは
スクリブルペンを選択

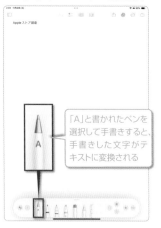

「A」と書かれたペンを選択して手書きすると、手書きした文字がテキストに変換される

メモアプリでスクリブル入力を使う場合は、上部のペン型ボタンをタップしてマークアップツールバーを表示し、「A」と書かれたペンを選択する。

スクリブル
ツールバーの操作

スクリブルで日本語を入力できないときは、「EN JP」ボタンをタップし、「日本語」を選択する

アプリによってメニューが異なるが、スクリブル入力時はスクリブルツールバーが表示される。取り消しややり直し、言語の変更などが可能だ。

他社製のアプリで
スクリブルを使う

X（旧Twitter）やFacebookなど、主要なアプリはスクリブル入力に対応している

スクリブル入力に対応していれば、他社製のアプリでも手書き文字をテキスト変換できる。文字の入力欄にApple Pencilで手書きして試してみよう。

○ POINT

キーボード代わり
としても使える?

キーボード不要で場所を選ばず入力できるスクリブルは、メモの作成やちょっとした検索には最適な機能だ。ただ、少しペンが止まるとすぐ入力され、変換候補も一度入力してタップしないと選択できないなど、キーボード代わりとして使うには不便な点もある。手書きで長文テキストをしっかり入力するなら、「mazec」など手書きキーボードアプリを使ったほうが、文字の修正や再変換も手軽にできて快適だ。

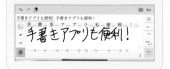

手書きアプリも便利!

03 Siri
どんどん賢くなる音声アシスタント
Siriの真価を引き出す隠れた利用法

トップボタンの長押しや「Hey Siri」の呼びかけで起動する音声アシスタント機能「Siri」は、バージョンアップのたびに機能が追加され、より賢く便利になっている。「明日の天気は?」や「母親に電話をかけて」など音声で情報を検索したりアプリを操作できるほか、日本語から英語に翻訳したり、パスワードを調べてもらうなど、さまざまな使い方ができるのでぜひ覚えておこう。Siriは「設定」→「Siriと検索」で有効にできる。

日本語を英語に翻訳

「(翻訳したい言葉)を英語にして」と話しかけると、日本語を英語に翻訳し、音声で読み上げてくれる。

パスワードを調べる

「(Webサービスやアプリ)のパスワード」と話しかけると、iCloudキーチェーンに保存されたパスワードを教えてくれる。

通貨を変換する

例えば「60ドルは何円?」と話しかけると、最新の為替レートで換算してくれる。また各種単位換算もお手の物だ。

流れている曲名を知る

「この曲は何?」と話しかけ、音楽を聴かせることで、今流れている曲名を表示させることができる。

曲をリクエスト

「おすすめの曲をかけて」などで曲を再生してくれる。Apple Musicを利用中なら、Apple Music全体から選曲する。

リマインダーを登録

「8時に○○に電話すると覚えておいて」というように「覚えておいて」と伝えると、用件をリマインダーに登録してくれる。

音量を細かく調整する

「音量を45%にして」や「音量を17%上げて」と頼むと、メディア音量を1%単位の100段階で細かく調整できる。

「さようなら」で終了

Siriを終了させるにはトップボタンやホームボタンを押せばよいが、「さようなら」と話しかけることでも終了可能だ。

---

04 集中モード
シーン別に通知を制御する
集中モードで通知をコントロールする

集中して作業したい時にメールやSNSの通知が届くと、気が散って集中できなくなる。そこで設定しておきたいのが「集中モード」だ。仕事中や睡眠中、運転中といったシーン別に、自動で通知や着信をオフにできるほか、特定の連絡先やアプリのみ通知は許可したり、自動で有効にするトリガーを設定するなど、通知を細かく制御できる。なお集中モードは、コントロールセンターから素早くオンオフの切り替えが可能だ。

1 集中モードのシーンを選択

「設定」→「集中モード」をタップすると、「おやすみモード」や「仕事」などシーン別の集中モードが準備されているので、設定したいものをタップ。

2 通知を許可する人とアプリを選択

集中モードを選択すると設定画面が表示される。まずは「通知を許可」欄で、この集中モードがオンのときでも通知を許可する連絡先とアプリを追加しておこう。

3 集中モード中のホーム画面

「画面のカスタマイズ」欄の「選択」をタップすると、集中モード中に表示するロック画面やホーム画面を制限できる。

4 スケジュールを設定する

「スケジュールを設定する」欄では、この集中モードを自動的に有効にするスケジュールや場所を指定できる。特定のアプリの起動時に有効にすることも可能。

iPad活用テクニック

05

仕事用や学校用などの用途別にSafariを使い分ける

Safariでは、仕事用や学校用など複数の「プロファイル」を作成しておき、用途別にプロファイル（使用環境）を切り替えて利用できる。プロファイルごとに利用するタブグループやお気に入り、閲覧履歴、Cookieなどの環境を変えられるほか、機能拡張のオン／オフも選択可能だ。たとえば普段は広告ブロックをオンにし、仕事用のプロファイルでは広告ブロックをオフにするといった使い方ができる。

1 新規プロファイルを作成する

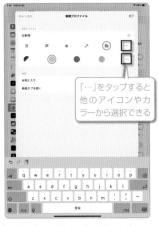

まず「設定」→「Safari」で「新規プロファイル」をタップ。プロファイルの名前を付けてアイコンとカラーを選択したら、右上の「完了」をタップしよう。

2 作成したプロファイルをタップする

「設定」→「Safari」で作成したプロファイルをタップ。なお、新規プロファイルを作成すると、元の環境は「個人用」という別のプロファイルになる。

3 プロファイルの設定を変更する

プロファイルの設定画面が開く。お気に入りのブックマークフォルダを変更したり、機能拡張のオン／オフの選択、プロファイルの削除などを行える。

4 プロファイルを切り替える

Safariを起動し、右上のタブボタンをタップ。上部の「〇個のタブ」部分をタップして開いたメニューの一番下にある「プロファイル」をタップすると、作成したプロファイルに切り替えるできる。

06

SafariとパソコンのChromeでブックマークを同期する

iPadのSafariのブックマークと、Windowsパソコンで使っているChromeのブックマークを同期したいなら、Chromeの拡張機能「iCloudブックマーク」を利用しよう。ただし拡張機能のほかに、Windows用の「iCloud」の設定も必要になる。Microsoft Storeで「iCloud」と検索してインストールを済ませ、iPadと同じApple IDでサインイン。あとは「ブックマーク」にチェックしておけば、自動的にブックマークが同期する。

1 Chromeに拡張機能を追加する

パソコンのChromeで「Chromeウェブストア」（https://chrome.google.com/webstore）にアクセスし、「拡張機能」から「iCloudブックマーク」を探して、「Chromeに追加」をクリック。拡張機能を追加しておく。

2 Windows用iCloudをインストールする

「Windows用iCloud」（https://support.apple.com/ja-jp/HT204283）をインストールし、iPadと同じApple IDでサインイン。「ブックマーク」にチェックして「適用」をクリックしよう。

3 Chromeのブックマークが同期される

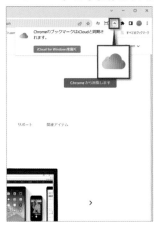

Chromeの拡張機能のボタンをクリックすると、「ChromeブックマークはiCloudと同期されます。」と表示される。あとは特に設定不要で、ChromeのブックマークがSafariに同期される。

4 iPadのSafariでブックマークを確認

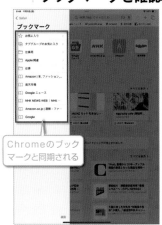

iPadでSafariを起動して、ブックマークを開いてみよう。同期されたChromeのブックマークが一覧表示されるはずだ。ブックマークの追加や削除も相互に反映される。

07 SharePlay
「SharePlay」で映画や音楽を共有
オンラインの友人と
音楽や映画を一緒に楽しむ

iPadには、友達と一緒に映画やドラマ、音楽などのコンテンツをリアルタイムで同時に視聴できる「SharePlay」機能が搭載されており、離れた人と同じ作品を楽しみながら盛り上がることができる。SharePlayはApple TVやApple Musicなどで利用できるほか、一部のサードパーティー製アプリも対応済みだ。なお有料サービスを共有する場合は、参加者それぞれが加入している必要がある。

● 同じ映画や音楽を一緒に楽しむための準備

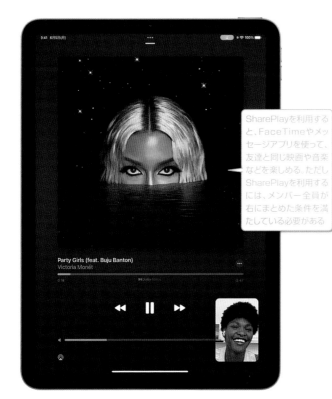

SharePlayを利用すると、FaceTimeやメッセージアプリを使って、友達と同じ映画や音楽などを楽しめる。ただしSharePlayを利用するには、メンバー全員が右にまとめた条件を満たしている必要がある

SharePlayでの接続に必要な要件

まず、iPadOS が古いと SharePlay を利用できないので気を付けよう。参加メンバー全員が、iPadOS 15.1 以降の iPad や、iOS 15.1 以降の iPhone、macOS 12.1 以降の Mac を使っている必要がある。また、参加メンバーを招待するのに、FaceTime アプリでの通話や、メッセージでの送信も必要となる。相手と通話しながら一緒に楽しみたいなら FaceTime で発信し、テキストでやり取りしながら楽しむならメッセージで招待リンクを送信しよう。

通話しながら一緒に楽しむならFaceTimeアプリで発信しよう。ただし、Webブラウザで通話（P092で解説）するとSharePlayは利用できない

対応アプリが必要

他社製アプリとしては、YouTube、Hulu、Disney+、Twitch、TikTokなどが対応済みだ

SharePlay に対応したアプリが必要。Apple TV やミュージック（Apple Music）だけでなく、他社製のアプリでも対応したものがある。

有料サービスは加入が必要

有料サービスに未加入のユーザーには加入が求められる

SharePlay で再生した映画や音楽が有料サービスの場合は、相手も加入していないと画面を共有できない。

● SharePlayの使い方と画面共有

1 共有メニューで SharePlayを選択

まず対応アプリで SharePlay を開始しよう。ミュージック（Apple Music の加入が必要）の場合は、アルバムなどを開き「…」→「アルバムを共有」→「SharePlay」をタップする。

2 メッセージか FaceTimeで共有

宛先を入力し、メッセージを送信するか FaceTime で発信すると、Apple Music の曲を相手と同時に楽しめる。ただし、相手も Apple Music に加入していないと曲を再生できない。

3 SharePlayを 終了する

ステータスバーの緑色のアイコンをタップするとメニューが表示される。SharePlay ボタンをタップし、「SharePlay を終了」で全員または自分だけ再生を停止できる。

4 操作中の画面を 共有する

ビデオや音楽を一緒に楽しむのではなく、FaceTime 通話中に自分の画面を相手に見せることも可能だ。

08

Webブラウザ経由で参加できる

WindowsやAndroidともFaceTimeで通話する

P064 で解説している通り、「FaceTime」はWindowsやAndroidユーザーとも通話が可能になっている。これにより、FaceTimeをオンラインミーティングなどに活用しやすくなった。FaceTimeで通話のリンクを作成してメールなどで招待すると、WindowsやAndroidユーザーはWebブラウザからログイン不要で通話に参加できる。ただしWebブラウザで通話に参加する場合は、ミー文字やSharePlayなど一部の機能が利用できない。

1 FaceTimeの招待リンクを送る

FaceTime を起動したら「リンクを作成」をタップし、メールやメッセージで招待リンクを送信しよう。通話に名前もつけられる。

2 ホスト側で通話を開始する

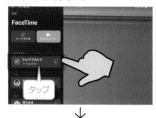

招待リンクを送信したら、「今後の予定」欄に作成した FaceTime 通話のリンクが表示されるのでタップ。続けて「参加」ボタンをタップしよう。

3 招待リンクにアクセスする

Android スマホなどで FaceTime の招待リンクを受け取ったら、「FaceTime リンク」をタップ。Web ブラウザが起動するので、名前を入力して「続ける」をタップする。

4 ホスト側で参加を許可して通話

招待された側が Web ブラウザで「参加」をタップすると、ホスト側に参加を求める通知が届く。緑色のチェックボタンをタップすると、通話が開始される。

09

YouTubeなどを小窓で再生

他のアプリの画面上で動画を再生する

iPadには、ホーム画面に戻ったり他のアプリを操作中でも、FaceTimeの通話やビデオの視聴を小窓で継続できる「ピクチャインピクチャ」機能が搭載されている。画面サイズはピンチ操作で自由に拡大／縮小できるほか、ドラッグして他の位置に移動可能だ。すべてのアプリで利用できる機能ではないが、AmazonプライムビデオやDAZNなどの動画配信サービスが対応しているほか、YouTubeアプリも対応している（Premium会員のみ）。

1 設定で機能の有効を確認

ピクチャインピクチャを利用するには、iPad の「設定」→「マルチタスクとジェスチャ」→「ピクチャインピクチャを自動的に開始」をオンにしておく。

2 YouTube側の設定を確認

YouTube で利用するには、あらかじめYouTube Premium に 登録 し た 上 で、YouTube アプリの「設定」→「全般」→「ピクチャーインピクチャー」をオンにする。

3 YouTubeを小窓で再生できる

YouTube でビデオを再生中に、ホーム画面に戻ってみよう。YouTube ビデオが小窓で再生されたままでホーム画面が表示され、他のアプリを起動できる。

4 小窓を画面の端に隠す

ピクチャインピクチャの小窓は、ピンチ操作で自由に拡大／縮小できる。また画面の端までドラッグすると、小窓が消えて音声のみの再生になる。

10 パスワード管理
パスワードを自動で入力
パスワードの管理は iPadにまかせてしまおう

iPadでは、一度ログインしたWebサイトやアプリのIDとパスワードを「iCloudキーチェーン」に保存し、次回からはワンタップで呼び出して素早くログインできる。他にも、Webサービスなどの新規登録時に強力なパスワードを自動生成したり、セキュリティに問題のあるパスワードを警告したりできる。「1Password」など他社製パスワード管理アプリと連携できる機能も備えているので、ぜひ活用しよう。

●iPadでパスワードを作成・管理する

1 自動生成されたパスワードを使う

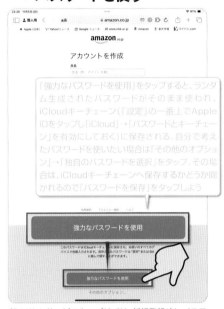

一部のWebサービスやアプリでは、新規登録時にパスワード欄をタップすると、強力なパスワードが自動生成され提案される。このパスワードを使うと、そのままiCloudキーチェーンに保存される。

2 ログインに使ったIDやパスワードを保存する

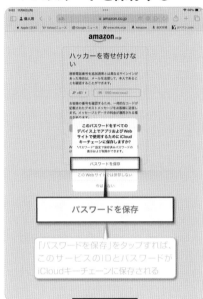

Webサービスやアプリに既存のIDでログインした際は、そのログイン情報をiCloudキーチェーンに保存するかどうかを聞かれる。保存しておけば、次回以降は簡単にIDとパスワードを呼び出せるようになる。

3 パスワードの脆弱性を自動でチェックする

iCloudに保存されたアカウントは「設定」→「パスワード」で確認できる。また「セキュリティに関する勧告」をタップすると、漏洩の可能性があるアカウントや、複数のアカウントで使い回されているパスワードが表示され、その場でパスワードを変更できる。

●保存したパスワードで自動ログインする

1 自動入力をオンにし他の管理アプリも連携

設定で「パスワードとパスキーを自動入力」のスイッチをオンにし、「1Password」など他のパスワード管理アプリを使う場合はチェックを入れ連携を済ませておこう。

2 候補をタップするだけで入力できる

Webサービスやアプリでログイン欄をタップすると、保存されたアカウントの候補が表示される。これをタップするだけでID／パスワードを自動入力できる。

3 候補以外のパスワードを選択する

表示された候補とは違うアカウントを選択したい場合は、鍵ボタンをタップ。このサービスで使う、他の保存済みアカウントを選択して自動入力できる。

○ POINT

パスキーを使えばパスワードも不要

パスワード不要の新しい認証方式「パスキー」に対応するWebサービスやアプリなら、アカウント作成時に「パスキーを保存しますか?」と表示されるので、「続ける」をタップしてFace IDやTouch IDで認証しよう。次回ログイン時は、Face IDやTouch IDの認証だけで、簡単かつ安全にログインを行える。

11 パスワード管理
グループ内でパスワードを共有
iPadに保存したパスワードを別のユーザーと共有する

P093で解説しているように、一度ログインしたWebサイトやアプリのユーザ名とパスワードをiCloudキーチェーンに保存しておけば、再度ログインする際に自動で入力できる。この保存されたログイン情報は、他のユーザーと共有することも可能だ。家族など信頼できるユーザーとグループを作成し、そこに共有したいパスワードを選んで追加する。もちろん相手が保存中のパスワードもグループ内で共有できる。

1 共有グループを作成する

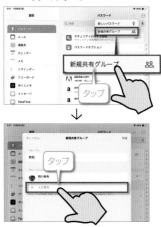

「設定」→「パスワード」を開いたら、右上の「+」→「新規共有グループ」をタップ。続けてグループ名を入力し、「人を追加」をタップしよう。

2 グループのメンバーを追加する

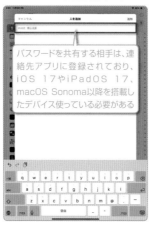

パスワードを共有する相手は、連絡先アプリに登録されており、iOS 17やiPadOS 17、macOS Sonoma以降を搭載したデバイス使っている必要がある

「参加者」欄に共有したい相手の名前やメールアドレスを入力して「追加」をタップ。元の画面に戻ったら右上の「作成」をタップしよう。

3 共有するパスワードを選択する

共有するパスワードを選択。共有グループ作成後、相手端末の「設定」→「パスワード」→「グループ参加依頼」→「表示」→「承認」をタップでグループ参加が完了する。相手が保存しているパスワードを追加することもできる

次にグループ内で共有したいパスワードを選択。選択し終わったら画面右上の「移動」をタップ。相手にメッセージで通知するかどうかを選択すれば作成完了。

4 共有グループを管理する

共有していないパスワードは「マイパスワード」という項目にまとめられる。各パスワードの項目をロングタップし、続けて「グループへ移動」をタップすれば、後から共有グループへ追加したり、共有グループから削除することもできる

「設定」→「パスワード」に共有グループが作成された。グループを開き「管理」をタップすれば、メンバーの追加や削除、グループ自体の削除を行える。

---

12 AirDrop
iPadやiPhoneで使える共有機能
AirDropで他のユーザーと簡単にデータを送受信

「AirDrop」機能を使えば、近くのiPadやiPhone、Macと手軽に写真や連絡先などのデータを送受信できる。自分のiPhoneやMacにデータを送りたいときにも便利な機能だ。利用するには、双方の端末が近くにあり、それぞれWi-FiとBluetoothがオンになっている必要がある。なお、AirDropの転送を開始したあとは、送信途中にデバイス同士の距離が離れてしまってもインターネット経由で転送が継続される。

1 受信側でAirDropの検出を許可する

「連絡先のみ」は連絡先に登録された相手からのみAirDropの受信を許可する。「すべての人（10分間のみ）」は連絡先に登録されていない相手からも受信を許可する。コントロールセンターでWi-Fiなどの設定欄をロングタップし、AirDropボタンをタップして受信設定を変更することもできる

AirDropでファイルを受信可能な状態にするには、「設定」→「一般」→「AirDrop」で「連絡先のみ」か「すべての人（10分間のみ）」にチェックしておく必要がある。

2 送信側で送りたいデータを選択する

共有ボタンをタップ

写真を送信したい場合は、写真を選択した状態で共有ボタンをタップ。複数同時に送信することも可能。連絡先の場合は、各連絡先の「連絡先を送信」をタップしよう。

3 共有メニューで相手の名前をタップ

相手がAirDropでファイルを受信できる設定になっていれば、共有メニューのAirDropボタンをタップすると名前が表示されるので、タップして送信しよう。

4 受信側でデータを受け入れる

受け取った側は「受け入れる」をタップすれば受信できる。なお、同じApple IDを使ったiPhoneやMacから送った場合はこの画面は表示されず、自動的に受信される。

13 ステッカー
絵文字キーボードから利用できる
写真からオリジナルの
ステッカーを作成する

メッセージアプリなどで利用できる「ステッカー」は、写真から自分で作成することもできる。作成したステッカーは絵文字キーボードから呼び出せるので、絵文字キーボードが使える場所ならどこでもステッカーを使うことが可能だ。

1 写真アプリで ステッカーを作成

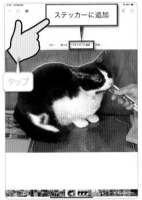

写真アプリで写真を開いたら、画面内の被写体をロングタップ。被写体が切り抜かれるので、上部メニューの「ステッカーに追加」をタップしよう。

2 絵文字キーボード から呼び出せる

作成したステッカーはメッセージアプリで使えるほか、絵文字キーボードの「よく使う項目」から呼び出してメモやメールに貼り付けることも可能だ。

14 Safari
見えない部分も含めて保存する
Webサイトのページ
全体をPDFで保存する

Safariなどで開いたWebページのスクリーンショットは、表示中の画面を画像として保存するほかに、見えない部分も含めたページ全体を丸ごとPDFファイルとして保存できる。マークアップ機能でページ内に注釈を書き込むことも可能だ。

1 スクショの プレビューをタップ

全体を保存したい Web ページを表示し、通常通りスクリーンショットを撮影しよう。画面左下にプレビューが表示されるので、これをタップする。

2 フルページにして PDFとして保存

「フルページ」タブに切り替えて、左上の「完了」をタップし、「PDF を"ファイル"に保存」をタップ。端末内や iCloud ドライブに PDF ファイルとして保存できる。

15 フリーボード
最大100人で共同編集できる
複数のユーザーで書き込
めるホワイトボードアプリ

オンライン会議でアイデアを出し合ったり内容を詰める際に利用したいのが、iPad標準のホワイトボードアプリ「フリーボード」だ。iPhoneやiPad、Macユーザー同士であれば、作成したボードに最大100人まで同時にアクセスでき、それぞれがテキストや手書き文字、画像、音声、動画、付箋、ファイルなどを自由に書き込める。ボードサイズを無限に拡大できるためマインドマップ的な使い方にも向いている。

1 新規ボードを 作成する

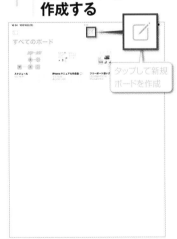

上部の新規ボードボタンをタップすると新規ボードを作成できる。サイドメニューを開くと、「共有」や「最近削除した項目」などのカテゴリが表示される。

2 ボードに手書き文字 やファイルを追加する

上部メニューで、手書き文字や付箋、図形、テキスト、画像やビデオ、リンク、PDFなどのファイルを自由に追加できる。ボードのサイズはピンチ操作で無限に拡大／縮小できる。

3 他のユーザーと ボードを共有する

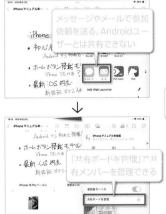

共有ボタンからメッセージやメールで参加依頼を送信すると、ボードを他のユーザーと共同編集できる。上部の共同制作ボタンから「共有ボードを管理」をタップすると、参加メンバーの追加や削除を行える。

4 参加対象と権限を 変更する

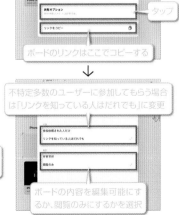

「共有ボードを管理」→「共有オプション」で「リンクを知っている人はだれでも」に変更すると、ボードのリンクを知っている人は誰でも参加可能になる。参加者の編集権限も「閲覧のみ」に変更可能だ。

16 ユニバーサルクリップボード
クリップボードを共有
iPhoneやMacと横断してコピペする

同じApple IDでサインインしたiPhoneやiPad、Macで、BluetoothとWi-Fiの両方をオンにし、「Handoff」をオンにしておくと、各デバイスのクリップボードが共有される。iPadでコピーした内容を、iPhoneやMacにペーストすることが可能だ。

1 Handoffを有効にしてコピー

コピー

iPadでコピー

事前準備として、各デバイスで「設定」→「一般」→「AirPlayとHandoff」→「Handoff」（Macは「このMacとiCloudデバイス間でのHandoffを許可」）をオンにしておく。iPadでテキストや写真をコピーしてみよう。

2 他のデバイスにペーストできる

タップすると、iPadでコピーした内容を貼り付けできる。もちろんiPhoneやMacでコピーした内容をiPadに貼り付けることも可能

iPadでコピーしたテキストや写真は、iPhoneやMac側で「ペースト」をタップするだけで貼り付けることができる。

---

17 アクセスガイド
トップボタンを3回連続で押すだけ
子供が使うときの起動アプリをひとつに限定する

iPadで一時的にひとつのアプリしか使えないように制限する機能が「アクセスガイド」だ。子供にYouTubeを見せるときに他の画面を触らせないようにしたり、ゲームに集中できるよう誤操作でホーム画面に戻ることを防ぐ場合などに利用しよう。

1 設定でアクセスガイドをオンにする

オンにする。アクセスガイド終了時のパスコードをあらかじめ設定したり、アプリの使用時間の制限が来た際の通知方法なども設定可能だ

あらかじめ「設定」→「アクセシビリティ」→「アクセスガイド」を開き、「アクセスガイド」をオンにしておく。

2 トップボタンを3回連続で押して開始

タップ

画面内を指でなぞって操作を禁止するエリアを指定できるほか、「オプション」から無効にするキーや操作を指定したり、時間制限を設定できる

使用したいアプリを起動し、トップボタンを3回連続で押して「開始」をタップすると機能が有効になる。もう一度トップボタンを3回連続で押すと終了。

---

18 ミュージック
ミュージックをより使いこなす
音楽をもっと楽しむためのミュージックの隠れた機能

ミュージックアプリの基本的な使い方はP076から解説しているが、他にもさまざまな機能を備えている。ここでは、前の曲の終わりと次の曲の開始が重なるように再生するクロスフェードの設定や、Apple Musicで現在再生中の曲に似た曲を次々に自動再生する方法、曲に参加しているアーティストやスタッフの確認、「最近追加した項目」をもっと表示する手順など、知っておくと便利な機能を紹介しよう。

クロスフェードを設定する

オンにする。下のスライダで、前の曲がフェードアウトしてから次の曲がフェードインするまでの時間を1秒〜12秒から設定できる

「設定」→「ミュージック」で「クロスフェード」をオンにするとクロスフェードが有効になり、前の曲の終わりと次の曲の開始が重なるように再生される。

似た曲を次々に自動再生する

再生画面を開き、右下の三本線ボタンをタップ。続けて、「次に再生」リストに表示される「自動再生」ボタンをタップして有効にする

Apple Musicを利用中は、現在再生中の曲に似た曲を探し、自動で再生リストに追加してくれる「自動再生」機能を利用できる。

曲のクレジットを確認する

クレジットを表示

タップ

曲名の「…」→「クレジットを表示」をタップすると、その曲を演奏するアーティストだけでなく、作曲家、作詞家、プロデューサー、エンジニアなどを確認できる。

「最近追加した項目」をもっと表示する

最近追加した項目順

ライブラリの「曲」画面を開き、右上のソートボタンをタップ。「最近追加した項目順」にチェックする

「最近追加した項目」には最大で60項目までしか履歴が残らないが、「曲」画面で「最近追加した項目順」に並べ替えると、すべての曲が新しく追加した順に表示される。

19 ショートカット
ショートカットで起動させよう
いつものマルチタスク環境をワンタップで起動する

iPadではマルチタスク機能（P030で解説）により、複数のアプリを同時に起動して利用できる。この時、たとえばSafariで調べ物をしながらメモを取るなど、毎回同じアプリの組み合わせで起動することが多いなら、ショートカットで自動化しておくのが効率的だ。作成したショートカットを実行するだけで、Split Viewで2つのアプリを分割表示させたり、ステージマネージャで3つのアプリを同時に開くといった操作が可能になる。

1 Split Viewで2つのアプリを起動させる

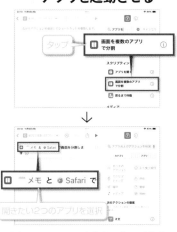

新規ショートカットを作成し「画面を複数のアプリで分割」を追加。「アプリ」をタップして同時に開く2つのアプリを選択すると、Split Viewで2つのアプリを起動するショートカットになる。

2 ステージマネージャを設定を追加する

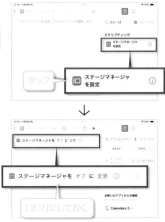

ステージマネージャで3つのアプリを同時に開くには、まず新規ショートカットを作成し、「ステージマネージャを設定」を追加。「オン」を「オフ」に変更しておく。

3 ステージマネージャで開く3つのアプリを選択

「画面を複数のアプリで分割」を追加したら、開きたいアプリを2つ設定。さらに「アプリを開く」を追加して3つ目のアプリを設定し、「>」をタップして「Slide Over」をオンにしておく。

4 ステージマネージャをオンに設定しておく

最後に「ステージマネージャを設定」を追加して、ステージマネージャをオンに変更するようにしておこう。これで、ショートカットを実行すると3つのアプリがステージマネージャで開く。

20 iCloud共有写真ライブラリ
撮影した写真を自動で共有
写真やビデオのライブラリを家族や友人と共有する

設定で「iCloud共有写真ライブラリ」を有効にすると、自分を含め最大6人でシームレスに写真を共有できる共有ライブラリを作成できる。たとえば、一緒に旅行に行くメンバーで設定しておけば、旅行中に撮影したすべてのメンバーの写真が同じ共有ライブラリにリアルタムで保存されるので、あとで写真を送ったりもらったりする手間を省ける。なお、共有ライブラリの保存にはライブラリ管理者のiCloud容量が消費される。

1 共有ライブラリの設定を開始

「設定」→「写真」→「iCloud 写真」をオンにしておき、「共有ライブラリ」→「始めよう」をタップ。

2 参加者の招待などを済ませる

「参加者を追加」で共有したいメンバーを選択し、画面の指示に従って各種設定を済ませよう。自分をライブラリ管理者とする共有ライブラリが作成される。

3 撮影した写真を直接追加する

カメラアプリで共有ライブラリボタンをオンにして撮影すると、撮影した写真は共有ライブラリに直接追加される。写真アプリから手動で追加することも可能。

4 共有ライブラリの写真を確認する

写真アプリのライブラリで「…」→「共有ライブラリ」を選択すると、共有ライブラリ内の写真のみを確認できる。

21

写真

共有アルバムで保存しよう

iCloudに写真100万枚を保存する裏技

iPadで撮影した写真の保存には「iCloud 写真」（P075で解説）が便利だが、iCloud容量を消費するため、無料の5GBだとすぐに不足する。しかし「共有アルバム」を利用すれば、無料で5GB以上の写真を保存可能だ。共有アルバム内の写真は自分のiCloud容量を消費せず、ひとりが作成できる共有アルバムは最大200で、ひとつの共有アルバムに保存できる写真やビデオは5,000件なので、最大100万枚まで無料で保存できる。

1 共有アルバムをオンにしておく

あらかじめ「設定」→「写真」→「共有アルバム」をオンにしておく。「iCloud 写真」をオンにすると自分の iCloud に写真をすべてアップしてしまうので、オフのままにしておこう

2 共有アルバムを作成する

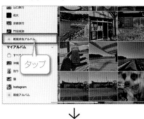

写真アプリのサイドメニューで「新規共有アルバム」をタップ。アルバム名を付け、共有する相手がいないなら宛先は入力せずに「作成」をタップする。

3 共有アルバムに写真を保存する

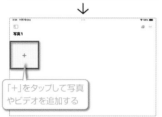

作成した共有アルバムを開き、「+」をタップして写真を選択したら「追加」をタップ。続けて表示される画面で「投稿」をタップしよう。

4 共有アルバムにアップロードされた

選択した写真が共有アルバムに保存された。共有アルバム内にアップロードされた写真は iCloud 容量を消費せず、他の iPhoneや Mac からでも閲覧できる。

22

生成AI

話題のAIチャットを活用しよう

生成AI「ChatGPT」をiPadで利用する

会話文で入力した内容に対し、驚くほど自然に応答してくれる高性能なAIチャットサービスが「ChatGPT」だ。情報の検索や事実の確認には向かないものの、条件を指定して挨拶文を生成したり、文章の要点を箇条書きで抜き出すなど、さまざまな作業のアシスタント役として活躍してくれる。ChatGPTにはアプリ版もあるが、Web版の方が最新機能をいち早く使えるなど若干使いやすいので、ここではWeb版で解説する。

1 指示（プロンプト）を入力する

Safari で ChatGPT（https://chat.openai.com/）にアクセスしてログインしたら、画面下部のメッセージ欄に指示（プロンプト）を入力しよう。

2 指示や条件などを追加していく

ChatGPT の応答が表示された。「400字にまとめて」や「小学生でもわかるように説明して」など、条件やシチュエーションなどの指示を追加していこう。

3 「Regenerate」で別の回答を再生成

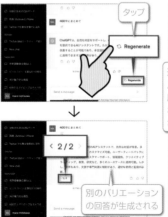

回答が気に入らない場合は「Regenerate」ボタンをタップしよう。最後の質問に対して別の回答が再生成される。「<」「>」ボタンで回答の切り替えも可能だ。

4 「New Chat」で新しいチャットを開始

別の話題で新しいチャットを開始したいときは、左上の「New Chat」ボタンをタップしよう。なお、過去のチャットはサイドバー上に履歴が残り、いつでも再開できる。

23 辞書
予測変換から素早く入力
よく入力する語句を辞書登録して文字入力を効率化

よく利用するメールアドレスや住所、名前、定型文、顔文字などを素早く入力するには、「ユーザ辞書」を活用しよう。「設定」→「一般」→「キーボード」→「ユーザ辞書」を開き、「+」ボタンで「単語」と「よみ」を登録しておく。たとえば「単語」に自分のメールアドレスを登録し、「よみ」に「めーる」と登録すれば、テキスト入力時に「めーる」と入力するだけで、メールアドレスが予測変換候補に表示されるようになる。

1 「ユーザ辞書」をタップする

よく使う単語をユーザ辞書に登録するには、まず「設定」を開き、「一般」→「キーボード」→「ユーザ辞書」をタップする。

2 単語とよみを登録する

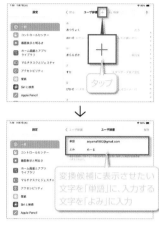

「+」をタップし、「単語」と「よみ」を入力して「保存」で登録完了。頻繁に入力する単語やメールアドレスなどを登録しておくと便利だ。

3 変換候補に辞書が表示される

メモアプリなどを起動して、ユーザ辞書に登録した「よみ」を文字入力してみよう。変換候補に登録した単語が表示されるようになる。

4 選択文字を辞書に登録することも可能

Safariなどで文字を選択し、メニューから「ユーザ辞書」をタップすると、選択した文字をすぐに辞書登録することができる。

---

24 音声入力
キーボードとの併用も可能
長文入力にも対応できる強力な音声入力機能

iPadでのタイピングが苦手な人は、音声入力を活用してみよう。iPadの音声入力はかなり実用的なレベルで精度が高く、喋った内容は即座にテキスト変換してくれるし、自分の声をうまく認識しない事もほとんどない。ちょっとしたメモだけでなく、長文入力にも十分対応できる便利な機能なのだ。さらに、文脈から判断して句読点が自動で入力されるほか、音声入力と同時にキーボードでも入力でき、誤字脱字などの修正も簡単だ。

1 マイクボタンをタップする

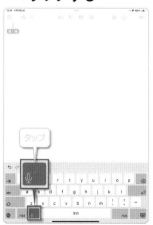

キーボードのマイクボタンをタップしよう。表示されない場合は、「設定」→「一般」→「キーボード」で「音声入力」がオンになっているか確認。

2 音声とキーボードで同時入力できる

音声入力中でもキーボードを使って入力できる。また、句読点や疑問符は自動で入力されるが、右囲みにまとめている通り音声でも入力が可能だ。

3 音声で絵文字を入力する

絵文字を音声入力するには、「えがお」「はーと」「おーけー」「あめ」など、絵文字を表せる言葉を伝えた直後に「えもじ」と声に出せばよい。

○ POINT

句読点や記号を音声入力するには

かいぎょう	改行
たぶきー	スペース
てん	、
まる	。
かぎかっこ	「
かぎかっことじ	」
びっくりまーく	！
はてな	？
なかぐろ	・
さんてんリーダ	…
どっと	.
あっと	@
ころん	:
えんきごう	＼
すらっしゅ	/
こめじるし	※

iPad 活用テクニック

25 自動入力
連絡先などを自動で入力
文字入力時に使える
自動入力機能

文字入力中にカーソルをタップするとメニューが表示される。このメニューから「自動入力」を選択すると、連絡先一覧の電話番号やメールアドレス、iCloudキーチェーンに保存されたIDやパスワード、カメラ画面に映る文字などを自動入力できる。

1 文字入力時の
メニューから選択

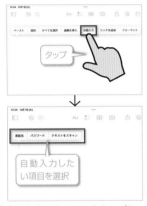

2 テキストをスキャン
を選択した場合

文字入力中にカーソルをタップし、メニューから「自動入力」を選択。続けて「連絡先」や「パスワード」、「テキストをスキャン」をタップする。

たとえば「テキストをスキャン」をタップすると、下部のカメラ画面に映る文字が認識され自動的にテキストとして入力される。

26 フリック入力
フローティングキーボードを使う
iPadでもフリック
入力を利用する

iPadのキーボードは「フローティングキーボード」に切り替えることで、サイズが小さくなり画面を広く使える。またフローティングキーボードで「日本語－かな入力」キーボードに切り替えると、iPhoneのようにフリック入力が可能だ。

1 フローティング
キーボードにする

2 iPadで
フリック入力を使う

キーボード上をピンチインするか、右下のキーボードボタンをロングタップして「フローティング」をタップすると、フローティングキーボードに切り替わる。

「日本語－かな」キーボードに切り替えると、iPhoneのようなフリック入力が可能になる。下のバーをドラッグして、片手で入力しやすい場所に配置しよう。

---

27 ランチャー
アプリを大量に配置できる
ランチャーアプリで
ホーム画面をカスタマイズ

ホーム画面で表示できるアプリの数は決まっており、ウィジェットを配置するとアプリの数はさらに減ってしまう。そこで利用したいのが「Launcher」だ。ウィジェット内に大量のアプリを配置して起動できるようにするアプリで、ホーム画面の1ページ目に必要なアプリをすべてまとめておける。プレミアム版を購入（1,500円）すると、特大や大サイズのウィジェットを追加できるほか、アイコンサイズの変更なども可能になる。

1 ウィジェットを
新規作成する

Launcher
作者／ Cromulent Labs
価格／無料

Launcherを起動したら、各サイズの「新規追加」をタップし、「空」を選択してウィジェット名を付ける。特大や大サイズで作成するにはプレミアム版が必要。

2 ウィジェットに
アプリを追加する

「新規追加」→「アプリランチャー」タップし、ウィジェット内に追加したいアプリを検索して「＋」ボタンで追加。これを繰り返していく。

3 見つからないアプリ
の追加方法

アプリが見つからないときは「App Store」タブに切り替えて検索しよう。この画面で見つかるアプリは、起動ショートカットを作成して追加する必要がある。

4 ホーム画面に
ウィジェットを配置

ホーム画面にLauncherのウィジェットを配置しよう。ウィジェット内に追加したアプリが一覧表示されており、タップして起動することが可能だ。

28 iPadの画面の録画機能を利用する

画面録画 操作中の画面を録画できる

iPadには「画面収録」機能が用意されており、アプリやゲームなどの映像と音声を動画として保存できる。またマイクをオンにしておけば、画面の録画中に自分の声も録音できるので、ゲーム実況やアプリの解説動画を作るのにも使える。

1 画面収録を追加して画面を録画する

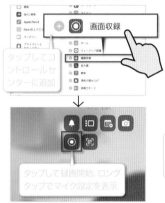

「設定」→「コントロールセンター」で「画面収録」を追加しておくと、コントロールセンターの画面収録ボタンで表示中の画面を録画できる。

2 マイクのオンと画面収録の停止

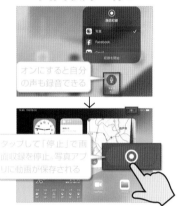

画面録画ボタンをロングタップし、「マイク」をオンにすると、自分の声も収録されるようになる。収録を終了するには、画面右上の赤いマークをタップ。

29 別のアプリへファイルやテキストをドラッグ&ドロップする

ファイル操作 ロングタップで簡単に移動できる

2つのアプリ間でファイルや写真、テキストをコピー&ペーストしたい場合は、2本の指を使う操作を覚えておこう。ファイルを選択しロングタップした状態で、他の指を使って別のアプリを起動すると、ドロップ&ドロップで貼り付けできる。

1 ロングタップして少し動かす

たとえばテキストをメールにコピーしたいなら、まずテキストを選択してロングタップ。少し指を動かすと浮いた状態になるので、そのまま指をキープする。

2 別の指で起動したアプリに受け渡す

別の指でホーム画面に戻り、メールなど他のアプリを起動する。あとはロングタップしたテキストをメールの作成画面にドロップすれば貼り付けできる。

30 手書きに最適な最高のノートアプリ

ノート 紙のノートと同じ感覚で使える

iPadでも紙のノートに書く感覚でメモを取りたい人におすすめなのが、手書きに特化したノートアプリ「GoodNotes 6」だ。ペンの太さやカラーを直感的に変更できるほか、消しゴムや投げ縄はツールを切り替えなくても利用できる。またテキスト入力した文章の語調を変えたり長く／短くまとめてくれるAI機能も搭載する。作成したノートはフォルダで整理できるので、あらかじめフォルダを作成してからフォルダ内にノートを作成しよう。

1 新規メニューからフォルダを作成

GoodNotes 6
作者／Time Base Technology Limited
価格／無料

まず「書類」画面の「+」→「フォルダ」で、「仕事」「個人」「その他」といったフォルダを作成しておく。フォルダ内にサブフォルダも作成できる。

2 新規メニューからノートを作成

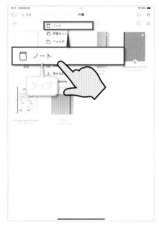

作成したフォルダを開き、「+」→「ノート」をタップすると新規ノートを作成できる。不要なノートは、右上のチェックボタンで選択し「ゴミ箱」で削除。

3 表紙と用紙をテンプレートから選択

ノートの名前を付けたら、表紙と用紙のデザインをテンプレートから選択。テンプレートは横向きと縦向きがあるので、使いやすい向きに決めておくこと。

4 ノートに手書きでメモする

上部のツールバーで入力ツールとカラーや太さを選択したら、ページ内に手書きしよう。右上の「+」ボタンからページを追加できる。

iPad活用テクニック

31 PDF
PDFページの編集も可能
仕事にも使える無料で高機能なPDFアプリ

iPadは、標準でPDFファイルを開いたりマークアップで注釈を書き込めるが、仕事で利用するなら編集機能を備える高機能なPDFアプリを用意しておきたい。「PDF Viewer Pro」なら、PDFページの並べ替えや新規ページ追加、削除などの編集機能も無料で利用できる。PDFファイルを結合したり、他のPDFファイルのページをコピーして挿入するといった編集を行うには、3か月800円または年間2,300円のPro機能の購入が必要。

1 PDFファイルを開く

PDF Viewer Pro by PSPDFKit
作者／ PSPDFKit GmbH
価格／無料

各サービスやiPad内からPDFファイルを開く

メイン画面を左から右にスワイプしてサイドメニューを開くと、「場所」欄に表示されたクラウドやアプリからPDFファイルを開くことができる。

2 ペンとマーカーでPDFに書き込む

マーカーの不透明度を100%にし、太さを調整して2本目のペンとして使うのも便利

上部メニューの鉛筆ボタンをタップすると注釈モードになる。ペンツールはペン1本とマーカー1本が用意されている。

3 PDFページを編集するには

タップ

PDFファイルを開き、画面右上の四角が4つ集まったボタンをタップするとページ一覧が表示される。続けて隣の編集ボタンをタップすると編集モード。

4 ページの入れ替えや追加、削除ができる

新規ページの追加、削除、コピー、回転、抽出などのメニュー。右の「P」が付いたボタンはPro版の機能

ロングタップしてドラッグでページを並べ替える

ページをロングタップすると、ドラッグして並べ替えできる。また上部メニューで新規ページの追加、削除、コピー、回転、抽出などを行える。

---

32 ノート
会議を録音しながらメモできる
録音とメモを紐付けできる議事録作成アプリ

メモを入力しながら、同時に録音もできるノートアプリが「Notability」だ。音声の再生時は、メモを書き込んだタイミングと同期してアニメーションで再生される。会議やセミナーで音声を録音しながら重要なポイントだけをメモしつつ、あとで音声を聞きながら詳細な議事録を作成するといった作業に最適だ。なお、無制限の編集や手書き認識、iCloud同期などを利用するには、年1,480円のサブスクリプション登録が必要となる。

1 メモを新規作成する

Notability
作者／ Ginger Labs
価格／無料

＋新規

タップ

アプリを起動したら、上部の「新規」ボタンをタップすると新規メモが作成される。上部のペンツールなどでメモを入力できる。

2 録音しながらメモを入力

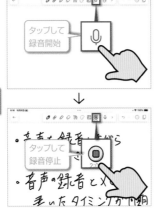

タップして録音開始

↓

タップして録音停止

メモ画面上部のマイクボタンをタップすると録音が開始される。テキストや手書きなどでメモを取っていこう。録音を停止するには、画面上部の停止ボタンをタップ。

3 録音した音声を再生する

タップ

音声の再生とタイミングを合わせて、その時点で入力したメモも再生される

録音したメモを開き、上部の再生ボタンをタップすると再生が開始される。音声再生時にはメモ全体が一旦薄い色になり、カラオケの字幕のように、メモを取ったタイミングで色が元に戻っていく。

4 メモスイッチャーで2つのメモを表示

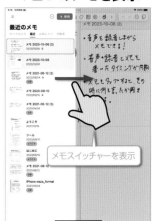

メモスイッチャーを表示

画面左端から右にスワイプするとメモスイッチャーが表示され、メモをドラッグ＆ドロップすることでメモを2つ同時に表示できる。録音時のメモを再生しながら、新しいメモで清書したい時などに便利な機能だ。

33 オーディオ共有 AirPodsなどで使える機能
複数のイヤホンで音楽を再生する

今聴いている曲を近くの友だちにも聴いてもらいたいけど、内蔵スピーカーで音を出すと周りに迷惑だし、片方だけイヤホンを貸すのも……というときは、オーディオ共有機能を使ってみよう。ただしこの機能を使えるのは、自分と相手がどちらもAirPods（または Beatsブランドのイヤホン）を使っている場合のみ。イヤホンが対応していれば、コントロールセンターなどから「オーディオ共有」をタップして接続できる。

1 AirPodsを接続する

希典の AirPods Pro　　　接続済み ⓘ

まずは、自分の iPad に AirPods（または Beats ブランドのイヤホン）を接続しておく。相手も AirPods を使っていないと、オーディオ共有機能は使えない。

2 オーディオ出力ボタンをタップ

タップ。ロック画面やミュージックアプリの再生画面から、オーディオ出力ボタンをタップしてもよい

コントロールセンターを開き、ミュージックパネルの右上にあるオーディオ出力ボタン（イヤホンのアイコン）をタップする。

3 オーディオ共有をタップする

オーディオを共有…
タップ

オーディオ出力の選択メニューに、「オーディオを共有」という項目が追加されているので、これをタップする。

4 相手の端末を近づけて許可する

相手が Android端末でAirPodsを使っている場合は、AirPodsをケースに入れた状態で蓋を開けると、AirPods単体を接続してオーディオを共有できる

この画面が表示されたら、オーディオ共有したい相手の iPhone や iPad を近づけて、接続を許可しよう。

---

34 インターネット共有 Instant Hotspotで簡単接続
iPhoneのデータ通信を使ってネット接続する

Wi-Fiモデルのの iPadを外出先でネット接続するには、Wi-Fiスポットやモバイルルータが必要となる。しかしiPhoneを持っていて、iPhoneで契約している通信キャリアでインターネットの共有機能（テザリング）が使える設定になっていれば、iPhoneのモバイル回線を経由してiPadをネット接続することが可能だ。iPhoneとiPadのテザリングは「Instant Hotspot」機能により、パスワードも不要でワンタップ接続できる。

1 Wi-Fi設定画面でiPhone名をタップ

西川の iPhone　　　　　　.ıll 5G ▮
iPhone名をタップ

iPad とテザリング契約中の iPhone の双方で、同じ Apple ID を使って iCloud にサインインし、Bluetooth と Wi-Fi をオンにしておけば、iPad の「設定」→「Wi-Fi」→「インターネット共有」欄に iPhone 名が表示される。この iPhone 名をタップしよう。

2 iPhone経由でネットに接続した

Instant Hotspot での接続中、iPad には上記のようなステータスアイコンが表示される。また、iPhone の Dynamic Island や時刻表示部分、ステータスバーもテザリング中の表示になる。

3 省データモードをオフにする

オフにする

iPhone との接続時は iPad が自動で省データモードになり、一定時間通信が行われないとテザリングは自動でオフになる。テザリング中の iPad でも写真の同期や自動アップデートを行いたい場合は、「設定」→「Wi-Fi」で iPhone 名をタップし、「省データモード」のスイッチをオフにすればよい。

4 Androidのデータ通信で接続する

Wi-Fiテザリング

Wi-Fiテザリングの使用 ⬤

機種によって若干設定が異なるが、「設定」→「ネットワークとインターネット」→「テザリング」で「Wi-Fiテザリング」をオンにして、ネットワーク名とパスワードを確認すればよい。iPadの「設定」→「Wi-Fi」で確認したネットワーク名をタップし、パスワードを入力すると接続できる

通信キャリアとテザリング契約を済ませた Android スマートフォンを持っていれば、そのモバイル回線を利用して iPad をネット接続することも可能だ。

iPad活用テクニック

35 フォルダ同期
デスクトップなどを自動で同期させよう
パソコン上のファイルをiPadで扱えるようにする

会社のパソコンに保存している書類をiPadで確認したり、途中だった作業をiPadで再開したい場合は、会社のパソコンがMacであれば非常に簡単だ。iCloudの「"デスクトップ"フォルダと"書類"フォルダ」をオンにしておくだけで、デスクトップと書類フォルダの保存場所がiCloud Drive上に変更され、iPadからもアクセスできる。Windowsパソコンの場合はこの機能が使えないので、「Googleドライブ」の同期機能を利用しよう。

1 MacでiCloud Driveの同期設定を行う

Mac のデスクトップや書類にあるファイルを自動同期するには、まず Apple メニューの「システム設定」で一番上のApple ID をクリックし、「iCloud」→「iCloud Drive」をクリック。続けて"デスクトップ"フォルダと"書類"フォルダのスイッチをオンにしよう。Mac の「デスクトップ」フォルダと「書類」フォルダの保存場所が iCloud Drive に移動する。

2 iPadからデスクトップや書類にアクセスする

iPad では「ファイル」アプリを起動してiCloud Drive を開こう。「デスクトップ」や「書類」フォルダを開くと、Mac で保存したファイルが表示される。これで、Mac のデスクトップや書類フォルダにあるファイルにいつでもアクセス可能になる

3 Googleドライブで同期設定を行う

Windows パソコンのフォルダを自動同期するには、まず「パソコン版 Google ドライブ」（https://www.google.com/intl/ja_jp/drive/download/）をインストール。タスクトレイから Google ドライブアイコンをクリックし、歯車ボタンから「設定」をクリックしよう。続けて「フォルダを追加」をクリックして、「デスクトップ」など同期させたいフォルダを選択する。

4 Googleドライブアプリでアクセスする

Google ドライブ
作者／Google LLC
価格／無料

iPad で Google ドライブアプリを起動し、上部のタブを「パソコン」に切り替えると、同期した「マイパソコン」や「マイノートパソコン」が表示され、パソコンでデスクトップなどに保存した書類を確認できる。

---

36 Siri
通知の読み上げをオンにしよう
通知をSiriに音声で知らせてもらう

「通知の読み上げ」をオンにし、対応イヤホン（第1世代を除くAirPodsシリーズかBeatsブランド製品の一部）を接続していると、メッセージなどが届いた際にその内容をSiriが読み上げてくれる。内蔵スピーカーで読み上げさせることも可能だ。

1 通知の読み上げをオンにする

「設定」→「通知」→「通知の読み上げ」をタップし、「通知の読み上げ」のスイッチをオン。「ヘッドフォン」もオンにしておく。

2 通知を読み上げるアプリを選択

「通知の読み上げ」画面の下のほうにあるアプリ一覧から、メッセージなど通知を読み上げて欲しいアプリを選択し、「通知の読み上げ」をオンにしよう。iPad の画面がロック中に新着メッセージが届くと、「○○さんから○○というメッセージが届いています」などと読み上げてくれる。

---

37 YouTube
無料で再生するテクニック
YouTubeをバックグラウンド再生する

ホーム画面などに戻ってもYouTubeの音声を流し続けるバックグラウンド再生を利用する場合、通常は有料の「YouTube Premium」への加入が必要だ。しかし下の手順を行えば、無料でもYouTube動画の音声をバックグラウンドで再生できる。

1 YouTube動画をSafariで再生する

まず Safari で YouTube にアクセスして動画を再生し、一度ホーム画面に戻ろう。再生が停止する。

2 コントロールセンターから再生する

この状態でコントロールセンターを開き、右上のパネルで再生ボタンをタップすれば、Safari で再生していた動画の音声がバックグラウンドで再生される。

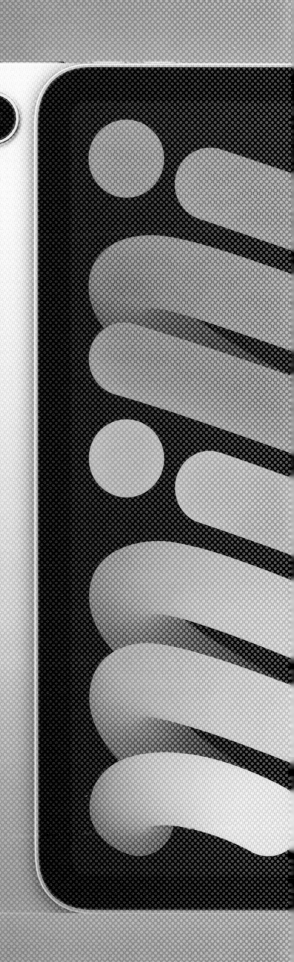

04

トラブル解決
総まとめ

iPadを紛失した、アップデートしたアプリが
起動しない、パスコードを忘れてしまった…
など、想定されるトラブルの解決法をまとめてフォロー。
iPadの紛失対策もあらかじめチェックしておこう。

動作にトラブルが発生した際の対処方法

トラブル 01

まずは機能の終了と再起動を試そう

iPadはかなり動作の安定したハードウェアと言えるが、iPadOSアップデートの影響などで突然アプリが起動しなくなったり、通信が切れたり、動作が重くなったり、動かなくなるといったトラブルに見舞われる可能性はゼロではない。いざという時のために、基本的なトラブル対処法を覚えておこう。まず、各アプリをはじめ、Wi-FiやBluetoothなどの機能が動作しなかったり調子が悪いときは、該当するアプリや機能をいったん終了させて再度起動させるのが基本だ。強制終了してもまだ調子が悪いアプリは、一度削除してから再インストールし直してみよう。

iPadの画面が、タップしても何も反応しない「フリーズ」状態になってしまったら、本体を再起動してみるのが基本だ。トップボタン＋音量調節ボタンの長押しが効くなら、「スライドで電源オフ」で電源を切る。「設定」→「一般」→「システム終了」でも「スライドで電源オフ」を表示することができる。効かないなら、一定の操作を行うことで、強制的に電源を切って再起動できる。再起動してもまだ調子が悪いなら、「設定」→「一般」→「転送またはiPadをリセット」→「リセット」で、「すべての設定をリセット」や、「ネットワーク設定をリセット」といった項目を試してみる。または、P111の手順のとおり、「すべてのコンテンツと設定を消去」を実行して初期化してしまえば、本体に関するほとんどのトラブルは解決するはずだ。

まず試したいトラブル解決の基本対処法

通信トラブルは機能をオンオフ

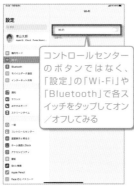

コントロールセンターのボタンではなく、「設定」の「Wi-Fi」や「Bluetooth」で各スイッチをタップしてオン／オフしてみる

Wi-FiやBluetoothがうまく通信できなかったり、接続が途切れたりする場合は、Wi-FiやBluetoothのスイッチを一度オフにしてからオンにしてみよう。

アプリを一度完全終了してみる

画面の一番下から上にスワイプする途中で止めると、アプリスイッチャーが表示される。不調なアプリを上にフリックして、強制終了させよう

アプリの動作がおかしいなら、画面の一番下から上にスワイプしてアプリスイッチャー画面を開き、該当アプリを完全終了させてから再起動してみよう。

アプリを削除して再インストールする

アプリをロングタップして「アプリを削除」をタップ。一度購入したアプリなら、App Storeで無料で再インストールできる

アプリを再起動しても調子が悪いなら、一度アプリを削除し、App Storeから再インストールしてみよう。これでアプリの不調が直る場合も多い。

本体の動作がおかしい、フリーズした場合は

本体の電源を切って再起動してみる

ホームボタンのないiPadはトップボタンといずれかの音量調節ボタンを、ホームボタンのあるiPadはトップボタンを、スライダが表示されるまで押し続ける

トップボタン＋音量調節ボタンの長押しで表示される、「スライドで電源オフ」を右にスワイプして、一度本体の電源を切り再起動してみよう。

本体を強制的に再起動する

フルディスプレイモデルの場合は、トップボタンに近い方の音量調節ボタンを押してすぐ離し、遠い方の音量調節ボタンを押してすぐ離し、トップボタンを押し続ける。ホームボタン搭載モデルの場合は、ホームボタンとトップボタンを同時に押し続けると、強制再起動する

「スライドで電源オフ」が表示されない場合は、デバイスを強制的に再起動することも可能だ。機種によって手順は異なる。

それでもダメなら各種リセット

まだ調子が悪いなら「設定」→「一般」→「転送またはiPadをリセット」→「リセット」の各項目を試してみよう。データが消えてもいいなら、P111の通り初期化するのが確実だ。

iPadの電源が入らない時の確認

iPadを充電したのに電源が入らない時は、ケーブルや電源アダプタを疑おう。正規品を使わないとうまく充電できない場合がある。また、一度完全にバッテリー切れになると、ある程度充電してからでないと電源を入れることができない。

紛失したiPadを見つけ出す方法

解決法 「探す」アプリなどで探し出せる

iPadの紛失に備えて、iCloudの「探す」機能をあらかじめ有効にしておこう。万一iPadを紛失した際は、iPhoneやMacを持っているなら、「探す」アプリを使って現在地を特定できる。家族や友人のiPhoneを借りて「探す」アプリの「友達を助ける」から探したり、パソコンやAndroidスマートフォンのWebブラウザでiCloud.com（https://www.icloud.com/）にアクセスして「探す」画面から探すことも可能だ。どちらも2ファクタ認証はスキップできる。また、紛失したiPadの「"探す"ネットワーク」がオンになっていれば、オフラインの状態でもBluetoothを利用して現在地がわかる仕組みだ。

なお、「探す」アプリではさまざまな遠隔操作も可能だ。「紛失モード」を有効にすれば、即座にiPadはロック（パスコード未設定の場合は遠隔で設定可能）され、画面に拾ってくれた人へのメッセージや電話番号を表示できる。地図上のポイントを探しても見つからない場合は、「サウンドを再生」で徐々に大きくなる音を鳴らしてみる。発見が難しく情報漏洩阻止を優先したい場合は、「iPadを消去」ですべてのコンテンツや設定を消去しよう。iPadを初期化しても、アクティベーションロック機能により位置情報を取得できるほか、元の持ち主のApple IDでサインインしないと、初期設定を進められない仕組みになっている。

事前の設定と紛失時の操作手順

1 「iPadを探す」の設定を確認

すべてオンにしておく

「設定」で一番上のApple IDをタップし、「探す」→「iPadを探す」をタップ。すべてのスイッチをオンにする。「設定」→「プライバシーとセキュリティ」→「位置情報サービス」のスイッチもオンにしておくこと。

2 iPhoneなどの「探す」アプリで探す

「デバイスを探す」タブで紛失したiPad名をタップ。オフラインの場合は、検出された現在地が黒い画面の端末アイコンで表示される

iPadを紛失した際は、同じApple IDでサインインしたiPhoneやMacなどで「探す」アプリを起動しよう。紛失したiPadを選択すれば、現在地がマップ上に表示される。

3 友人のiPhoneを借りて探す

友人のiPhoneの「探す」アプリで「自分」→「友だちを助ける」→「別のApple IDを使用」をタップ。Safariが起動するので、自分のApple IDを入力してサインインする

2ファクタ認証も不要で「デバイスを探す」画面が表示される

家族や友人のiPhoneを借りて探す場合は、「探す」アプリで「自分」タブを開き、「友達を助ける」から自分のApple IDでサインインしよう。

4 サウンドを鳴らして位置を特定

タップして音を鳴らす。デバイスがオフラインだと「保留中」になり、次にオンラインになった時に再生される

デバイス一覧から紛失したiPadを選択すると、マップ上にiPadの現在地が表示される。「サウンド再生」をタップすると、徐々に大きくなるサウンドが約2分間再生される。

5 紛失モードで端末をロックする

タップして、画面に表示する電話番号やメッセージを入力する。デバイスがオフラインだと「保留中」になり、次にオンラインになった時に紛失モードが有効になる

「紛失としてマーク」で電話番号やメッセージを入力して「有効にする」をタップすると、iPadは紛失モードになり即座にロックされる。またApple Payも無効になる。

6 情報漏洩の阻止を優先するなら端末を消去

iPadのデータを消去しても、アカウントからデバイスを削除しなければ、持ち主の許可なしにデバイスを再アクティベートできないので、紛失した端末を勝手に使ったり売ったりすることはできない。オフラインのデバイスは「このデバイスを削除」（iCloud.comでは「アカウントから削除」）も選択できるが、削除するとApple IDとの関連付けが解除され、初期化後は誰でも使える状態になる。売却などで完全に手放すとき以外は選ばないようにしよう

「デバイスを消去」をタップすると、iPadのすべてのデータを消去して初期化できる。消去したあとでもiPadの現在地は確認可能だ。

---

iCloud.comで「探す」を利用する

パソコンやAndroidスマートフォンのWebブラウザで、iCloud.com（https://www.icloud.com/）にアクセスして探すこともできる。Apple IDでサインインした際に、紛失した端末に2ファクタ認証の確認コードが送られてしまう場合は、認証画面の下部にある「またはすぐにアクセスする」の「デバイスを探す」をクリックしよう。2ファクタ認証をスキップしてすぐに「探す」画面が表示される。

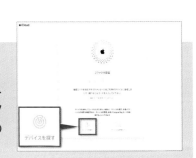

破損などの解決できない
トラブルに遭遇したら

解決法 「Appleサポート」アプリを使ってトラブルを解決しよう

　どうしても解決できないトラブルに見舞われたら、「Appleサポート」アプリを利用しよう。Apple IDでサインインし、サイドバーを開いて端末と症状を選択すると、主なトラブルの解決方法が提示される。さらに、電話サポートに問い合わせしたり、アップルストアなどへの持ち込み修理を予約することも可能だ。

Appleサポート
作者／Apple
価格／無料

まずは、Appleサポートアプリをインストールして起動。Apple IDでサインインしたら、トラブルが発生した端末と、その症状を選んでタップしよう。

アップルストアなどに持ち込み修理を予約したり、サポートに電話して問い合わせたり、トラブル解決に役立つ記事を読むなどの方法で解決できる。

誤って「信頼しない」を
タップした時の対処法

解決法 「位置情報とプライバシーをリセット」をタップする

　iPadをパソコンに初めて接続すると、「このコンピュータを信頼しますか?」の警告が表示され、「信頼」をタップすることでiPadへのアクセスを許可する。この時、誤って「信頼しない」をタップした場合は、「位置情報とプライバシーをリセット」を実行することで警告画面を再表示し、接続をやり直すことができる。

タップ

位置情報とプライバシーをリセット

タップ

「設定」→「一般」→「転送またはiPadをリセット」→「リセット」→「位置情報とプライバシーをリセット」をタップしてリセットを実行する。

パソコンなどとケーブルで接続すると、「このコンピュータを信頼しますか?」の警告が再表示されるようになるので、「信頼」をタップしよう。

パスコードを忘れてしまった

解決法 一度消去してバックアップから復元すればリセットされる

　画面ロックのパスコードをうっかり忘れても、「iCloudバックアップ」(P038)さえ有効なら、そこまで深刻な状況にはならない。「探す」アプリやiCloud.comでiPadのデータを消去したのち、初期設定中にiCloudバックアップから復元すればいいだけだ。最新のバックアップが作成されているか不明なら、電源とWi-Fiに接続された状態(5G対応のセルラーモデルはモバイル通信接続時でもOK)で一晩置けば、バックアップが作成される可能性がある。

1 「探す」アプリなどでiPadを初期化

タップ

他にiPhoneやiPad、Macを持っているなら、「探す」アプリで完全にロックされたiPadを選択し、「このデバイスを消去」で初期化しよう。また、WebブラウザでiCloud.comにアクセスし、「iPhoneを探す」画面から初期化することもできる。

2 iCloudバックアップから復元する

iCloudバックアップが最新状態か不安な時は、端末を消去する前に、電源とWi-Fiに接続した状態で一晩置いておこう。iCloudバックアップの自動作成タイミングは分からないので確実ではないが、最新のバックアップが作成される可能性がある

初期設定中の「アプリとデータを転送」画面で「iCloudバックアップから」をタップして復元しよう。前回iCloudバックアップが作成された時点に復元しつつ、パスコードもリセットできる。

3 同期済みのパソコンがある場合は

一度iPadと同期したパソコンがあれば、iPadがロック中でもパソコンと接続でき、「今すぐバックアップ」で最新のバックアップを作成できる。念の為、「このコンピュータ」と「ローカルバックアップを暗号化」にチェックして、各種IDやパスワードも含めた暗号化バックアップを作成しておこう。あとは「探す」アプリなどでiPadを初期化し、初期設定で「MacまたはPCから」を実行すればよい。

iPadOSの自動アップデートを設定する

解決法 電源とWi-Fiに接続中の夜間に自動更新させよう

iPadの基本ソフト「iPadOS」は、アップデートによって不具合の修正や新機能の追加が行われるので、なるべく早めに更新したい。設定で「自動アップデート」をオンにしておけば、電源とWi-Fiに接続中の夜間に、自動でダウンロードおよびインストールを済ませてくれる。自分のタイミングで更新したい人はオフにしておこう。

新しいiPadOSが配信されたら自動で更新させるには、まず「設定」→「一般」→「ソフトウェア・アップデート」→「自動アップデート」をタップ。

すべてオンにしておけば、iPadOSのアップデートや緊急のセキュリティアップデートが自動的にインストールされる。

誤って登録された予測変換を削除したい

解決法 キーボードの変換学習を一度リセットしよう

タイプミスなどの誤った単語を学習してしまい、キーボード入力時の変換候補として表示される場合は、「一般」→「転送またはiPadをリセット」→「リセット」→「キーボードの変換学習をリセット」を実行して、一度学習内容をリセットさせよう。ただしこの操作を実行すると、すべての変換候補が消えてしまうので注意しよう。

「設定」→「一般」→「転送またはiPadをリセット」→「リセット」をタップし、続けて「キーボードの変換学習をリセット」をタップしよう。

本体のパスコードを入力して、「リセット」ボタンをタップすれば、学習した予測変換候補が消えて表示されなくなる。

アップデートしたアプリが起動しない時は

解決法 一度削除して再インストールしてみよう

アップデートしたアプリがうまく起動しなかったり強制終了する場合は、そのアプリを削除して、改めて再インストールしてみよう。これで動作が正常に戻ることが多い。一度購入したアプリは、購入時と同じApple IDでサインインしていれば、App Storeから無料で再インストールできる。

アプリの動作がおかしかったりうまく起動しない場合は、一度削除してみよう。ホーム画面でアプリをロングタップし、「アプリを削除」をタップすれば、アンインストールできる。

App Storeで、削除したアプリを検索して再インストールしよう。一度購入したアプリは、インストールボタンがクラウドアイコンになり、これをタップすれば無料で再インストールできる。

Wi-Fiが遅いときのチェック項目

解決法 接続している周波数帯を確認する

Wi-Fiの通信速度が遅いときは、接続中の周波数帯を確認しよう。Wi-Fiルータでは、他の家電と干渉せず安定して高速通信できる「5GHz」と、障害物を挟んでも電波が届きやすい「2.4GHz」の、2つの周波数帯に接続できる場合が多い。基本的には5GHzでの通信が高速だが、障害物が多い環境なら2.4GHzに接続してみよう。

SSIDの中に「a」や「A」、「5G」と表記されているのが5GHz帯の接続先になる。壁などの障害物を挟んでいないなら、こちらに接続したほうが高速で安定した通信が可能だ。

SSIDの中に「g」や「G」、「2.4G」と表記されているのが2.4GHz帯の接続先。障害物が多い環境では、こちらに接続したほうが高速に通信できる場合がある。

トラブル 10 Apple IDのIDや パスワードを変更する

解決法 設定のApple ID画面から 変更が可能

　App StoreやiCloud、iTunes Storeなどで利用するApple IDのID（メールアドレス）やパスワードは、「設定」の一番上のApple IDをタップし、続けて「サインインとセキュリティ」をタップすると変更できる。IDの場合は「メールと電話番号」欄の「編集」をタップして現在のアドレスを削除し、新しいアドレスを設定しよう。ただし、作成して30日以内の@icloud.comメールアドレスは変更後のApple IDに設定できない。パスワードは「パスワードの変更」から変更できる。

1 | サインインと セキュリティをタップ

Apple IDのIDやパスワードを変更するには、まず「設定」の一番上のApple IDをタップし、続けて「サインインとセキュリティ」をタップする。

2 | Apple IDの アドレスを変更する

「編集」でApple IDアドレスの「ー」をタップして削除し、新しいアドレスを設定する。作成して30日以内の@icloud.comメールアドレスは変更後のApple IDに設定できないので注意しよう

IDを変更するには、「メールと電話番号」欄の「編集」をタップして現在のApple IDアドレスを削除し、新しいメールアドレスをIDとして設定すればよい。

3 | Apple IDの パスワードを変更

パスワードを変更するには、「パスワードの変更」をタップして2箇所の入力欄に新規のパスワードを入力し、「変更」をタップすればよい。

トラブル 11 気付かないで払っている サブスクをチェック

解決法 設定のApple ID画面で 確認とキャンセルが可能

　月単位などで定額料金が必要な「サブスクリプション」契約のアプリやサービスは、必要な時だけ利用できる点が便利だが、うっかり解約を忘れると、使っていない時にも料金が発生するし、中には無料を装って月額課金に誘導する悪質なアプリもある。いつの間にか不要なサービスに課金し続けていないか、確認方法を知っておこう。

「設定」の一番上のApple IDをタップし、続けて「サブスクリプション」をタップする。

外部のサイトなどで契約したサブスクリプションは、ここには表示されないので要注意

現在利用中や有効期間が終了したサブスクリプションのサービスを確認できる。この画面から、サービスのキャンセルも行える。

トラブル 12 Appleの保証期間を 確認、延長したい

解決法 AppleCare+ for iPadで 2年まで延長可能

　すべてのiPadには、製品購入後1年間のハードウェア保証と90日間の無償電話サポートが付く。自分のiPadの残り保証期間は「設定」→「一般」→「情報」画面などで確認しよう。保証期間を延長したい場合は、有料の「AppleCare+ for iPad」に加入すれば、期間限定プランは2年間、月払いプランなら解約するまで延長できる。

他に「Appleサポート」アプリ（P108で解説）でも確認できるほか、本体が動作しないなら保証状況の確認ページ（https://checkcoverage.apple.com/jp/ja/）でシリアル番号を入力すれば確認できる。シリアル番号は本体背面や製品の箱に記載されている

本体の「設定」→「一般」→「情報」にある、「保証範囲」→「このデバイス」をタップすると、iPadの残り保証期間を確認できる。

「Apple Care+ for iPad」は、iPad購入後30日以内でなければ加入できないので注意しよう

有料の「AppleCare+ for iPad」に加入すれば、ハードウェア保証と電話サポートの期間を延長できる。iPad本体だけでなく、付属品にも延長保証が適用される。

トラブル 13

トラブルが解決できない時の iPad初期化方法

解決法 多くの問題は端末の初期化で解決する

P106で紹介したトラブル対処をひと通り試しても動作の改善が見られないなら、端末を初期化してしまうのが、もっとも簡単で確実なトラブル解決方法だ。ただ初期化前には、バックアップを必ず取っておきたい。iCloudは無料だと容量が5GBしかないので、以前は空き容量が足りない際にバックアップ項目を減らす必要があった。しかし現在は、iCloudの空き容量が足りなくても、「新しいiPadの準備」を利用することで、一時的にすべてのアプリやデータ、設定、iPad内の写真やビデオ(iCloud写真がオフで、設定のApple ID→「iCloud」→「アカウントのストレージを管理」→「バックアップ」→「このiPad」→「写真ライブラリ」がオンのとき)を含めたiCloudバックアップを作成できる。バックアップが保存されるのは最大3週間なので、その間に復元を済ませよう。

なお、iCloudでバックアップを作成できない状況なら、パソコンで暗号化バックアップを作成すると、iCloudではバックアップしきれない一部のログイン情報なども含めて、パソコンのストレージ容量が許す限りすべて保存できる。また、iPadが初期化しても直らないような深刻なトラブルであれば、最終手段として「リカバリモード」を試してみよう。リカバリモードを実行すると、iPadを完全に工場出荷時の状態に初期化したのち、iTunes(MacではFinder)からデータを復元することになる。

iPadを初期化してiCloudバックアップで復元

1 「新しいiPadの準備」を開始

タップ

まず「設定」→「一般」→「転送またはiPadをリセット」で「新しいiPadの準備」の「開始」をタップし、一時的にiPadのすべてのデータを含めたiCloudバックアップを作成する。

2 iPadの消去を実行する

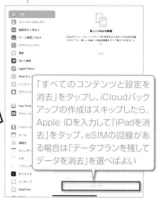

「すべてのコンテンツと設定を消去」をタップし、iCloudバックアップの作成はスキップしたら、Apple IDを入力して「iPadを消去」をタップ。eSIMの回線がある場合は「データプランを残してデータを消去」を選べばよい

バックアップが作成されたら、「設定」→「一般」→「転送またはiPadをリセット」→「すべてのコンテンツと設定を消去」をタップして消去を実行しよう。

3 iCloudバックアップから復元する

アプリとデータを転送 タップ

初期化した端末の初期設定を進め、「アプリとデータを転送」画面で「iCloudバックアップから」をタップ。最後に作成したiCloudバックアップデータを選択して復元しよう。

パソコンのバックアップからの復元とリカバリモード

1 パソコンでバックアップを作成する

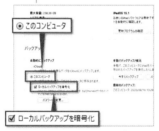

☑ ローカルバックアップを暗号化

iPadでiCloudバックアップを作成できないなら、パソコンのiTunes(MacではFinder)でバックアップを作成しよう。iPadをパソコンと接続して、「このコンピュータ」と「ローカルバックアップを暗号化」にチェック。パスワードを設定すると、暗号化バックアップの作成が開始される。この暗号化バックアップから復元すれば、ログイン情報なども引き継げる。

2 パソコンのバックアップから復元する

アプリとデータを転送 タップ

iPadを消去したら初期設定を進めていき、途中の「アプリとデータを転送」画面で「MacまたはPCから」をタップ。パソコンに接続し作成したバックアップから復元する。

最終手段はリカバリモードで初期化

iCloudでもパソコンでも初期化できないなら、リカバリモードを試そう。まず、パソコンでiTunes(MacではFinder)を開き、ケーブルでiPadとパソコンを接続する。フルディスプレイモデルの場合は、トップボタンに近い方の音量調節ボタンを押してすぐに離し、離れた方の音量調節ボタンを押してすぐに離し、最後にトップボタンを押し続ける。ホームボタン搭載モデルは、ホームボタンとトップボタンを同時に押し続ける。リカバリモードの画面が表示されたら、まず「アップデート」をクリックして、iPadOSの再インストールを試そう。それでもダメなら「復元」をクリックし、工場出荷時の設定に復元する

写真やビデオをパソコンにバックアップ

iPadで撮影した写真やビデオを、iCloudに保存するにしても、iPadのストレージに保存するにしても、いずれ空き容量は足りなくなる。パソコンを持っているなら、古い写真は定期的にパソコンへ手動バックアップしておこう。

iPadとパソコンをケーブルで接続し、iPadの画面ロックを解除すると外付けデバイスとして認識される。「Internal Storage」→「DCIM」の年月別フォルダに撮影した写真やビデオが保存されているので、ドラッグ&ドロップでコピーしよう。

トラブル解決総まとめ

iPad
完全マニュアル
2024
iPad Perfect Manual 2024

2023年12月10日発行

編集人	清水義博
発行人	佐藤孔建

発行・発売所　スタンダーズ株式会社
〒160-0008
東京都新宿区四谷三栄町
12-4 竹田ビル3F
TEL 03-6380-6132

印刷所　株式会社シナノ

Staff

Editor
清水義博(standards)

Writer
西川希典

Cover Designer
高橋コウイチ(WF)

Designer
高橋コウイチ(WF)
越智健夫

本書の記事内容に関するお電話での
ご質問は一切受け付けておりません。
編集部へのご質問は、書名および何
ページのどの記事に関する内容かを詳
しくお書き添えの上、下記アドレスまでE
メールでお問い合わせください。内容に
よってはお答えできないものや、お返事
に時間がかかってしまう場合もあります。
info@standards.co.jp

ご注文FAX番号　03-6380-6136

https://www.standards.co.jp/